Unicum

VINICIUS DE MORAES

LIVRO
DE
LETRAS

Texto:
JOSÉ CASTELLO

1.ª reimpressão

COMPANHIA DAS LETRAS

Rua Nascimento e Silva, 107
Você ensinando pra Elizete
As canções de *Canção do amor demais*

Lembra que tempo feliz
Ah, que saudade
Ipanema era só felicidade
Era como se o amor doesse em paz

Capa e projeto gráfico:
Hélio de Almeida

Pesquisa:
Beatriz Calderari de Miranda
José Castello

Revisão:
Marcos Luís Fernandes
Maria Amélia Dalsenter
Carmen S. da Costa

Dados Internacionais de Catalogação na Publicação (CIP)
(Câmara Brasileira do Livro, SP, Brasil)

Moraes, Vinicius de, 1913-1980.
Livro de letras / Vinicius de Moraes ; texto José Castello. —
São Paulo : Companhia das Letras, 1991.

ISBN 85-7164-212-5 (brochura)
ISBN 85-7164-213-3 (encadernado)

1. Moraes, Vinicius de, 1913-1980 2. Música popular - Brasil
3. Música popular - Brasil - Textos I. Castello, José. II. Título.

	CDD-784.50981
	-780.420981
91-2734	-927.80981

Índices para catálogo sistemático

1. Brasil : Canções populares : Letras 784.50981
2. Brasil : Letras : Canções populares 784.50981
3. Brasil Música popular 780.420981
4. Brasil : Músicos : Biografia e obra 927.80981

1995

Todos os direitos desta edição reservados à
EDITORA SCHWARCZ LTDA.
Rua Tupi, 522
01233-000 — São Paulo — SP
Telefone: (011) 826-1822
Fax: (011) 826-5523

ÍNDICE

UM POETA
BEM ACOMPANHADO

U

m dia, o maestro Antonio Carlos Jobim, atônito com a inconstância amorosa de seu parceiro, perguntou ao poeta Vinicius de Moraes: "Afinal, poetinha, quantas vezes você vai se casar?". Vinicius soube fugir da objetividade cruel com que Tom desejava defrontá-lo e, num dos seus improvisos de sabedoria, respondeu: "Quantas forem necessárias". O maestro não devia estar assim tão espantado. A inconstância foi um defeito que Vinicius transformou em suprema qualidade. Um erro feliz. Ela não tomava conta apenas de sua vida amorosa, mas dava o tom de sua relação com o mundo. Talvez nem fosse inconstância. Era, seguramente, um atributo que não devia ser confundido com a leviandade, com a infidelidade ou a fraqueza de caráter. Pois era outra coisa bem diferente: Vinicius foi um homem sem limites, que não admitiu poupar a vida como se ela fosse um estoque limitado e frugal de emoções, que não permitiu que a avareza triunfasse sobre a generosidade. Tornou-se, com os anos, um homem abundante, que não tinha qualquer respeito por sentimentos melindrados como o medo, o comedimento ou a mesquinhez.

A relação do poeta com seus parceiros musicais foi, assim, norteada pela grandeza. Esteve sempre bem acompanhado. Mesmo quando só — pois Vinicius foi, muitas vezes, seu próprio parceiro. Compôs com Tom Jobim, Baden Powell, Carlos Lyra, Pixinguinha, Adoniram Barbosa, Ary Barroso, Edu Lobo, Antonio Maria, Chico Buarque, Toquinho. A lista é longa e à primeira vista ameaçadora, porque reúne imensa disparidade de temperamentos, estilos, classes sociais, humores, gerações. Mas o poeta foi farto e generoso o bastante para conviver com todos eles. "Nunca senti a diferença de idade entre nós", declarou Toquinho certa vez. Para completar bem humorado: "A não ser na hora de jogar futebol". Vinicius sabia se transmutar, arrancar sempre uma face inesperada de si, e fez desse espírito de camaleão sua reserva de força para enfrentar a vida. Stanislaw Ponte Preta, certa vez, explicou a Tia Zulmira: "Claro que ele é plural, ele é Vinicius de

Moraes. Se fosse um só, seria Vinicio de Moral''. Mestre da rapidez no humor, o escritor Sérgio Porto matava a charada com uma piada.

Quando Vinicius nasceu, em 1913, o Brasil era governado por Venceslau Brás, que acabava de declarar guerra à Alemanha. O mundo ainda não tinha sido desencantado pelas duas grandes guerras, nem podia imaginar as guinadas diabólicas a serem desfechadas pela arte do século XX. Na verdade, o século XX ainda não começara. Fernando Pessoa, com 25 anos de idade, escrevia — ainda em inglês — o seu ''Epithalamium''. Pixinguinha comemorava seus quinze anos numa festinha suburbana. Mário de Andrade, que ainda era um adolescente introvertido, nem sonhava com a Semana de Arte Moderna de 22. O poeta atravessou duas guerras mundiais. Em 39, quando a Segunda Guerra estourou, ele teve que fugir às pressas da Universidade de Oxford, em Londres, onde estudava as novelas de Katherine Mansfield. O mundo jogou tudo o que pôde contra sua vocação de poeta. Morou em Los Angeles, em Paris, em Montevidéu, em Roma, em Salvador. Teve nove casamentos, um batalhão de parceiros, atravessou o país de ponta a ponta fazendo shows para universitários e morreu em 1980, dentro de sua célebre banheira, como um anjo flutuando na água, quando o país ainda amargava a sombra do regime militar. Sem ser um ''poeta social'', desses que usam o verso para fazer retratismo e transformam a arte em pregação de idéias fixas, Vinicius deixou uma bagagem poética — poemas, crônicas, ensaios, peças de teatro, ficção, letras de música — que reflete essa travessia do século. Quando ele morreu, o mundo entrava nos anos de desencanto dos 80, a cultura se preparava para mergulhar num lodaçal de pastiches, cópias e simulacros e, para muitos, o século XX já parecia acabado.

Ninguém deve se arriscar a encarcerar esse artista do múltiplo e da inconstância numa definição. Na noite da morte da atriz Cacilda Becker, o poeta Carlos Drummond de Andrade, em golpe genial, registrou: ''Morreram Cacilda Becker''. O plural também parece ser o único número gramatical que combina com Vinicius. No princípio, ele era um rapaz conservador, impregnado pelo espiritualismo católico de Santiago Dantas e Octavio de Faria, que publicou seu primeiro poema na revista A Ordem, fundada por Jackson de Figueiredo. No fim, foi um homem que se recusou a continuar participando dos festivais da canção porque não podia concordar com a perseguição aos ''cantores de protestos'', um poeta que chocava seus amigos mais tradicionalistas com sua opção radical pela música popular, sua imensa bata e sua convivência desinibida com rapazes e moças que podiam ser seus filhos. Mas não eram. Era um homem, então, que inquietava os conservadores por sua ousadia, os moderados por sua coragem e os progressistas por seu apego à verdade acima do dogma. Era um homem inquietante.

Vinicius sempre soube deixar as gerações para trás quando se sentia envelhecido. Tornou-se poeta ao lado de Augusto Frederico Schmidt, Jayme Ovalle, Manuel Bandeira, João Cabral de Melo Neto. Quando sentiu que a grande poesia estava tirando o vigor de seu coração, passou para a chamada Turma do Vilarinho — um bar na esquina da avenida Presidente Wilson com Calógeras — comandada por Sérgio Porto, Lúcio Rangel, Fernando Lobo, Darwin Brandão. Mais um pouco e já estava entre os filhos de seus companheiros de bar, compondo com Edu Lobo, Francis Hime, Chico Buarque. Sabia perseguir o tempo sem perder o passo. Ninguém poderia imaginá-lo tomando o chá das cinco, engravatado e triste, na Academia Brasileira de Letras. Teve, porém, um pacto fechado com a imortalidade. Drummond disse certa vez: "Vinicius é o único poeta brasileiro que viveu como poeta". Ele vivia intensamente e era de sua vida que arrancava a poesia. Quanto mais veloz era a vida, mais numerosos os parceiros, mais envolventes as mulheres, melhor sua poesia. Essa multiplicidade emprestava ao poeta aquela imagem de que ele não acabaria nunca. Aquela coragem imortal.

Sua formação profissional, como diplomata de carreira, o acostumou a conviver em paz com as pessoas, e pessoas bem diferentes umas das outras. Levou essa aprendizagem para a poesia e para a música, o que só o engrandeceu. Houve um momento a partir do qual ele não cabia mais no mundo diplomático, com seus protocolos e suas regras de boa conduta. Com sua maquiagem. Vinicius estava agitado demais, emocionado demais, despojado demais, e se continuasse, passaria o incômodo de uma fera trancada numa cristaleira. Estava grande demais. Em 1964, fazia um show com Dorival Caymmi numa casa noturna. Pio Correia, secretário-geral do Itamarati, mandou então um recado de que não estava gostando nada de ver um diplomata naquelas companhias. O chanceler Juracy Magalhães também não andava satisfeito com aquilo. Vinicius estava no Brasil, em função oficial junto ao governo de Minas, e teve que engolir uma expulsão desaforada. "Ponha-se esse vagabundo para trabalhar", teria dito o presidente Costa e Silva em seu despacho. Vinicius morreu sonhando em ter o despacho presidencial dependurado, como um troféu, na parede de sua sala. Não importa, na verdade, se as palavras do presidente foram exatamente essas: o poeta tinha explodido interiormente, não suportava mais o papel do diplomata sério que escrevia seus poemas na sombra da noite. Não conseguia mais deixar a vida de um lado, a poesia de outro, porque para ele as duas sempre foram a mesma coisa. Havia um empate entre vida e poesia — e isso era sua vitória.

Seus parceiros foram surgindo como companheiros nesse movimento incontrolado de expansão, em que o cotidiano e a escrita, os versos e a meia luz das boates, as idéias e a vida comum se tornavam uma coisa só. Mais que parceiros, atuaram como zeladores desse compromisso difícil — pois muito doloroso — da poesia com a experiência. Acordo que o tornava muito suscetível às delicadezas da realidade e muito impressionável; mas, sem essa hipersensibilidade, a poesia se esfacelaria. Um dia, quando servia em Los Angeles como vice-cônsul, abriu uma gaveta e, entre papéis velhos, topou com um retrato de Mário de Andrade. Com carinho, tirou a poeira que

cobria a foto e a colocou na mesa de cabeceira. Ficou olhando, como se re-
zasse. "Então, olhei para o lado e vi Mário de Andrade vestido com uma
roupa meio marrom e trazendo uma gravata brique", relatou depois. "E
senti sua mão sobre meu ombro." Nem o poeta soube explicar aos amigos,
ou a si mesmo, o que tinha acontecido. Mas isso não importava. Aquela
visão, ou impressão, ou imaginação, ou o que fosse, motivou-o a escrever,
logo depois, o poema "A exumação de Mário de Andrade". A quase-parceria
oferecida a Mário nesse poema dá um exemplo vigoroso do modo como o
poeta trabalhava. O tênue fio que separa a realidade da poesia estava, sempre, prestes a se romper — e para persegui-lo, entenda-se bem, era preciso
contar com sua admirável lucidez. Só mestres trabalham sobre o abismo.
Seus parceiros foram testemunhas privilegiadas dessa aventura. Tentaram
sempre estar à altura daquele poeta que os siderou com seu manejo das palavras, com seu modo de encontrar a palavra correta ali onde falhava — ou
parecia explodir — a vida real. Felizes desses homens. Eles sentiram em seus
ombros, como o próprio Vinicius sentiu um dia, a asa imensa da poesia.
Ficaram abençoados.

— 1 —

TOM JOBIM
OU
O SENTIMENTALISMO

A arte do século XX se ergue, feitas as contas, como barreira contra uma ameaça: a do sentimentalismo. Tudɔ o que de mais importante se pretendeu ao longo do século foi lutar contra o excesso dos sentimentos. No papel de guru da Bossa Nova, Vinicius de Moraes teve que se despir de sua formação sofisticada nos bancos da Universidade de Oxford, das interrogações metafísicas que arrasaram sua juventude e dos laços espirituais com intelectuais como Octavio de Faria, Augusto Frederico Schmidt e Jayme Ovalle, teve que se despedir das leituras de Katherine Mansfield, Georges Bernanos e François Mauriac para lidar com coisas bem mais prosaicas: garotas sensuais, paixonites de verão, o sol a despencar sobre um fundo de mar. Vinicius trocou o trágico pelo trivial, as grandes interrogações pelas pequenas sensações, e com isso se enredou numa teia de acontecimentos comuns e emoções miúdas mas fatais.

Seus comparsas da poesia se arrepiaram. Vinicius nem por isso deixou de seguir sua intuição à risca. Poetas não devem temer a intuição, sob pena de trair aquilo mesmo que os constitui. Não devem evitar esses estados de contemplação gratuita em que, à sua revelia e muitas vezes contra seus próprios pensamentos, alguma coisa se passa. Vinicius sabia respeitar a cegueira, às vezes quase estupidez, que dá lastro à criação. Ia pelo faro, e o instinto de repente lhe dizia que a poesia não estava mais nos livros, mas em barzinhos apertados onde rapazes e moças desconhecidos tratavam de se deixar guiar pelo coração. Transcorria o ano de 1956. O poeta, recém-chegado da França, procurava alguém para musicar o seu *Orfeu da Conceição*, sua mais importante obra para o teatro. No Vilarinho, esconderijo de lordes da música popular como Dorival Caymmi e Silvio Caldas, o crítico de música Lúcio Rangel apontou um rapaz magrinho e esfumaçado que sobrevivia vendendo músicas e arranjos nos inferninhos de Copacabana, e nisso negociava boa parte de sua alma. Lúcio conhecera o rapaz pouco antes, através do humorista Sérgio Porto. Atirava, na verdade, no escuro. Antonio Carlos Jobim tinha 29 anos, era um moço desengonçado que só bebia cerveja porque não tinha dinheiro para pagar o uísque e morava num minúsculo apartamento alugado no final de Copacabana. Vinicius já o conhecia de noitadas no Clube da Chave, nos idos de 52. O poeta, com seu caráter frontal e seu estilo sem rodeios, explicou o que tinha em mente e quis logo saber: "Você aceita?". Tom não parou muito para pensar na figura daquele poeta quarentão que se dava ao trabalho de lhe dirigir a palavra e respondeu com uma pergunta, que era absolutamente banal: "Mas tem um dinheirinho nisso?". Tinha, mas havia muito mais em jogo. Pouco depois das oito horas da noite, como um pingüim amestrado, o garçom Jorge gritou: "Peçam o último uísque porque está *cerrado*". Como de hábito, as portas do Vilarinho foram baixadas, mas os fregueses tolerados por uma hora a mais. Naquela uma hora, Tom começou a perceber que talvez tivesse feito a pergunta errada à pessoa certa. E esse era um modo enviesado de acertar. Nove e meia em ponto, foram gentilmente expulsos do bar, para comemorar seu encontro na rua.

Desceram então a avenida Presidente Wilson em busca de um táxi que os levasse ao Clube da Chave, em Copacabana. Tratava-se de um clube tradicional freqüentado por gente de rádio e televisão. Cada sócio tinha uma chave para abrir o escaninho onde guardava sua garrafa de uísque, daí o nome da casa. Em meio a trancas abertas e pedras de gelo, a parceria nasceu. Tom sentiu um pouco de medo quando viu Vinicius cercado por gente do porte de um Antonio Maria, de um Fernando Lobo, de um Paulinho Soledade, todos vagamente desligados do resto do mundo, como se estivessem sob o domínio de um campo magnético. E estavam. Havia ainda a diferença de 14 anos de idade entre os dois para tornar tudo mais sedutor. Aos 43 anos, Vinicius de Moraes era um grande poeta em crise de identidade. Um de seus mais belos poemas, "O operário em construção", acabava de ser publicado — e trazia uma epígrafe de Lucas, pensamento sinistro sobre a última tentação a que Jesus Cristo foi submetido. Sua peça *Orfeu da Conceição*, que abre com uma citação de John Dryden, o poeta inglês do século XVII especialista em versos satíricos, começava a virar filme sob a batuta do produtor francês Sacha Gordine. Grandes intelectuais e escritores como Carlos Drummond de Andrade, João Cabral de Melo Neto, Paulo Mendes Campos e Rubem Braga disputavam sua companhia — cada um tentando arrastá-lo em uma direção. O poeta estava insatisfeito com tudo isso. Buscava alguma outra coisa que não combinava com a imagem do diplomata de carreira com posto em Paris, com o homem de semblante introspectivo que compunha canções de câmara e freqüentava dilemas espirituais, com a estampa, enfim, de intelectual. Aí lhe mostraram aquele rapazinho irritável, rosto enfiado no piano como que num disfarce, perguntas triviais na ponta da língua.

Pois era exatamente aquilo que Vinicius buscava: alguém que o ajudasse a mudar de rumo. Alguém tão diferente dele que, ou bem não teriam nada a dizer um ao outro, ou bem teriam que aprender a falar novamente.

Vinicius odiava a repetição. Investiu em Tom Jobim para fugir do fausto que envolve a vida dos monstros sagrados — essa espécie inventada pelos críticos apressados para definir o indefinível em que ele estava ameaçado de se transformar. Porém, encontrou mais um monstro. Doce monstro. Tom foi esperto desde o primeiro momento. Soube ver em Vinicius aquele estado permanente de enlevação espiritual que dava a ele a aparência de um traquinas flutuando, por gaiatice e prazer, alguns centímetros acima dos acontecimentos. Viu Vinicius, por fim, o poder de reverter o tempo a seu favor. De comandar a vida, como se ela fosse uma fera. De ter a candura de um anjo e a rigidez de um domador.

Já naquela época Tom guardava, em seu apartamento de recém-casado, uma velha fotografia de seu pai, tirada em 1908, quando ele tinha apenas 19 anos de idade — morreu em 1935, aos 46 anos. Cada vez que olhava para a foto, o compositor se intrigava com o poder que a fotografia tem de paralisar o tempo. Tudo ficou mais grave muito depois. No final dos anos 80, um Tom já senhorial arrumou a velhíssima foto sobre seu piano de cauda, na casa da Gávea. Já poderia ser avô de seu pai, ao menos daquele pai tão jovem conservado pela magia da foto. A imagem de Vinicius, um outro pai, também ficou um tanto embaralhada. Tom conserva a lembrança límpida dos primeiros encontros, sempre cercados de indefinição. Episódios sentimentais, desses que deixam, depois, um travo na língua e não uma lembrança organizada. Logo depois que se conheceram, o poeta o levou a uma festa barulhenta e cheia de fumaça, os convidados quase sempre duas ou três doses acima da sensatez. Entre eles, misterioso, circulava um senhor engravatado e levemente aéreo, alheio à zoeira, concentrado numa folha de papel. Era Heitor Villa-Lobos, encarapitado no alto de seus 60 anos, rabiscando uma partitura como se nada estivesse acontecendo em torno de si. Tom, sem saber se aquilo era um dom incomum ou uma piada, se aproximou e disse: ''Mas maestro, como o senhor pode escrever música com esse barulho?''. Villa-Lobos não se deu ao trabalho nem mesmo de erguer os olhos em direção ao rapaz: ''O ouvido de fora não tem nada que ver com o ouvido de dentro'', sentenciou. E continuou a compor.

Só Vinicius poderia carregá-lo para tais ambientes, em que o cotidiano faz fronteira com a magia. O cotidiano não era nada daquilo que Tom podia imaginar, e era justamente ali que o mundo guardava seus frutos mais saborosos. Nas frestas do mistério. As primeiras imagens de Vinicius, para Tom, estão mescladas com esses ambientes obscuros, imprecisos e pontuados por pequenas tensões. Acertada a parceria para o *Orfeu da Conceição*, os dois começaram a se encontrar para compor. Os primeiros passos foram muito difíceis. ''Eu fazia cerimônia com a música e o Vinicius fazia cerimônia com a letra'', sintetizou depois o compositor. Para relaxar, passaram a se dedicar a exercícios, isto é, improvisos descompromissados que resultaram em sambinhas medíocres. Foram todos, felizmente, para o lixo. A parceria, porém, logo engrenou. Já na temporada em Paris, onde se instalara em 1953 como segundo secretário da Embaixada do Brasil, o poeta emitia sinais de que não suportava mais limitar sua vida ao ritual diplomático. Era um homem que se apegava às pequenas coisas com uma obsessão incompatível com a rigidez de sua formação. Vinicius, o diplomata inquieto, tinha um velho terno de lã inglês. A roupa já estava um tanto corroída pelo uso mas ele recusava a aposentá-la. Um dia, sua mulher Lila Bôscoli descobriu um tintureiro que salvava roupas velhas modelando-as pelo avesso. Não pensou duas vezes. Sem Vinicius saber, mandou o terno para reformar. Semanas depois o poeta recebia seu velho terno de estimação inteiramente restaurado. Não percebeu um detalhe: com a reforma os bolsos saíam de seus lugares tradicionais e invertiam suas posições. Dias depois, esbarrou na rua com um diplomata amigo, um desses senhores zelosos que se comportam como síndicos do planeta. "Engraçado, seu terno tem os bolsos invertidos", logo comentou. "É claro, é um terno inglês", respondeu Vinicius. E completou, com a mais cândida seriedade: "O senhor não deve esquecer que na Inglaterra tudo é ao contrário".

Foi esse homem enfastiado com a etiqueta da vida diplomática, desiludido com o preciosismo da vida social, que encontrou o jovem Tom no Vilarinho. O compositor, muitos anos depois, formularia uma definição do que lhes restava a fazer juntos: "Eu tomo chope com o Vinicius e ele me desperta para a literatura inglesa". Porque, enquanto durou a parceria, não restava espaço para mais nada, a não ser compor e compor. Para Vinicius, aquela parceria tinha a função de um catalisador: modificava a qualidade dos dias e o arrastava para uma aventura no cotidiano, pontuada por emoções triviais, sentimentos comuns, muitas vezes puro sentimentalismo — tudo aquilo que devia ficar de fora do xadrez racional do Itamarati.

"Você trocaria, Tom, toda a sua arte pela possibilidade de ser feliz?", Vinicius quis saber um dia. "Trocaria, trocaria sim", apressou-se o compositor, "e creio que você também trocaria." Era tudo verdade, e esse movimento de dessacralização da arte chocava alguns poetas cultos que ainda circulavam em torno de Vinicius, arrepiados, como pastores da língua tentando salvar uma ovelha negra. Era tarde. Para Vinicius, o mundo tinha se invertido com tal violência que até mesmo seus ídolos tinham sido substituídos. No lugar de Fyodor Dostoievsky, Marianne Moore e Paul Verlaine, agora reinavam Noel Rosa, Custódio Mesquita, Ary Barroso e Pixinguinha. O poeta deixava de ser um anjo anunciador para se converter em homem normal, com tudo o que essa entidade hipotética tem de estúpido, meloso, vulgar e sem importância. Com essa estratégia, Vinicius acabou se tornando mais popular que seu parceiro, subvertendo as regras da música popular que privilegiavam os músicos em detrimento dos letristas. Certo dia, um calouro foi ao programa de Ary Barroso no rádio e anunciou que ia cantar "Se todos fossem iguais a você". Ary perguntou: "E o autor?". A resposta veio na ponta da língua: "Vinicius de Moraes". Ary, que sempre colocava a música acima de tudo, continuou, meio irritado: "E o Tom?".

O calouro, sem pensar duas vezes, afirmou: "Lá maior". Vinicius estava consagrado.

Quando o *Orfeu da Conceição* foi montado no Teatro Municipal do Rio, Tom Jobim abandonou de vez o passado. Deixou de ser o pianista anônimo do Bar Azul, no posto seis, para habitar outra dimensão: o mundo do sucesso. Ele e Vinicius passaram, então, um ano inteiro, juntos, inaugurando um estilo excessivo que o poeta transporia para todas as suas futuras parcerias. Não havia qualquer método naquela parceria, a não ser uma regra básica: Vinicius preferia receber a música pronta, ainda que ela se modificasse inteiramente depois no contato com a poesia. "A felicidade", samba do *Orfeu*, por exemplo, foi composta pelo telefone internacional, o poeta em Montevidéu, onde servia como diplomata, e o compositor em seu apartamento no Rio. Os temas eram esses mesmos: felicidade, dor de cotovelo, saudade, a beleza da vida, mulheres. Os dois mergulhavam nas madrugadas armados com garrafas de uísque, "comidinhas" (era o modo carinhoso com que Vinicius chamava os tira-gostos à base de filé ou galinha, que depois batizaria também de "comidinha de bêbado") e muita alegria. A maioria das músicas surgiu ao acaso; às vezes, uma música se desmembrava em duas ou três, porque eles estavam sempre fazendo várias canções ao mesmo tempo. A poesia mostrava, aí, sua falta de limites. Havia remotas motivações externas, que sempre se tornavam menos importantes, muito menos importantes, do que o prazer de compor. Oscar Ornstein convidou a dupla certa vez para escrever e compor um musical que contaria a história de um playboy marciano em visita à Terra. A idéia do musical não vingou e ficou reduzida a uma primeira música: chamava-se "Garota de Ipanema", depois o maior sucesso internacional da dupla. Ela não passa de um cartão de visitas sobre a sensualidade tropical dirigido a um extraterrestre. Uma deliciosa bobagem, que se tornou uma canção inesquecível.

Vinicius se aproveitou de Tom como escudeiro para travar uma luta sem tréguas contra o cerebralismo e o formalismo que já invadia a poesia brasileira. Para ele, o último grande poeta revelado se chamava João Cabral de Melo Neto, e depois dele não havia mais nada. Não havia nesse retorno ao cotidiano, porém, ausência de ambição. O poeta várias vezes afirmou que a Bossa Nova devia ter, para a música popular, a mesma importância que a Semana de Arte Moderna de 22 teve para a literatura — e essa comparação sempre pesava nos ombros de Tom como um fardo a carregar. Mas a verdade é que teve. Aquele menino chique criado em Ipanema, que começara a estudar piano com um professor alemão fugido da guerra chamado Hans-Joachim Koellreutter — o homem que maquinou o dodecafonismo enquanto dava lições de música a garotos riquinhos no Colégio Brasileiro de Almeida, em Ipanema —, chegava, com sua aparência elegante e casual, a um patamar ainda mais alto no coração de Vinicius do que aquele ocupado, antes, por um Augusto Frederico Schmidt, um Octavio de Faria ou um Jayme Ovalle. Mas, se estes vissem as coisas com mais frieza, teriam muito o que celebrar. Submetido aos espartilhos da melodia, Vinicius perdia um de seus mais graves defeitos, a escrita abundante e prolixa, para se tornar um escritor mais comedido e aplicado no trato com as palavras. Mais seguro do que desejava dizer. Mais avaro, e bendita avareza. Ao contrário de Vinicius, um homem sempre atraído pelo esbanjamento e pela indefinição, Tom era um rapaz de formação estética mais exata, que não se deixava assustar pelas reclamações ameaçadoras e sentenças inúteis de morte proferidas pelos críticos. Tanto que, depois de dez anos de psicanálise com a psiquiatra alemã Katherine Kemper, a grande mãe do freudismo carioca, pôde concluir: "Ela me ajudou muito a compreender o que os críticos brasileiros dizem. A primeira música que fiz era um avião, eles disseram que era um charuto. A segunda era uma moça bonita, eles disseram que era um peixe norte-americano. A me guiar por eles, eu jamais entenderia o que estava fazendo". Tom carregou seu parceiro nessa descoberta. Não havia que temer a crítica. Talvez não devessem nem mesmo ouvi-la.

A companhia do compositor veio, assim, limpar o caminho para o que Vinicius mais buscava: uma arte direta, sem maneirismos, sem rebuscamentos; que falasse da vida normal de pessoas normais, sem grandes dramas, sem interrogações pontiagudas a respeito da realidade; que servisse de deleite, e não de purgação. Tom, que nunca se esqueceu do modo como o poeta o encarou pela primeira vez, no Vilarinho — com "um olho de jade" —, fez de Vinicius um ponto de estrangulamento que, uma vez decifrado pela sabedoria, tornava a vida menos monótona. A maturidade da dupla chegou em 1960, quando Tom Jobim recebeu um telefonema de Oscar Niemeyer, dizendo que o presidente Juscelino Kubitschek desejava vê-los imediatamente. Deveriam compor uma "Sinfonia da alvorada", a ser apresentada em grande estilo na praça dos Três Poderes, em Brasília. A crítica, sempre vigilante, logo apontou o deslize de intelectuais que vendiam sua alma ao poder, aceitando compor de encomenda. Tom Jobim, muito impressionável, não queria mais ir. "Tive que levá-lo quase a tapa", relatou Vinicius depois. Finalmente os dois parceiros se instalaram no Catetinho, em pleno Planalto Central. Os primeiros dias foram insuportáveis, porque eles se tornaram objetos de romarias turísticas, que não os deixavam trabalhar. A pedido de Vinicius, Juscelino mandou colocar sentinelas à entrada dos aposentos da dupla. Puderam, então, mergulhar na vermelhidão do planalto e compor. Era época de seca e de frio. Brasília ainda estava habitada por cobras, perdizes, estranhos pássaros, ainda não era uma cidade. Vinicius apaixonou-se por um galo que habitava os fundos do Catetinho — apelidou-o de Polígono das Secas. Mas a sinfonia — que, para ser mais rigoroso, é uma suíte e não uma sinfonia — não combina com o clima rústico e informal que lhe serviu de berço. Começa com um verso grandiloqüente: "No início, era o ermo...". Tom, que estudara com Leo Peracchi, Radamés Gnatalli, Alceu Bocchino, não poupou sua bagagem erudita. Nem se impôs limites regionalistas, que seriam um desmentido do sonho de JK. Vinicius mostrou que ainda era um poeta de estirpe, capaz de manejar metáforas difíceis e temas sinuosos. Fez um grande poema. Ali estava uma exceção que confirmava a regra. Se tinham optado pela limpidez e brandura do cotidiano, não era por alguma impensável incompetência, era por opção mesmo. Vinicius sabia que a poesia nunca está guardada onde se espera.

Felizmente, Tom e Vinicius não se deixaram afetar pela lógica puritana e vingativa que movia parte da crítica, espírito que caberia melhor entre seguidores de uma religião fundamentalista do que entre especialistas em arte. Estavam maduros. Depois da vitória do *Orfeu* no Festival de Cinema de Cannes, e do Oscar de Melhor Filme Estrangeiro conferido por Hollywood no mesmo ano, os dois ganharam consagração internacional. Suas músicas passaram a ser gravadas por Ella Fitzgerald, Nat King Cole, Peggy Lee, Henri Mancini e Sarah Vaughan. Em 1962, a convite do Itamarati, Tom fez sua primeira viagem aos Estados Unidos para se apresentar no célebre show que serviu de batismo à Bossa Nova. Pouco depois, Frank Sinatra gravou um disco quase todo dedicado a ele, em que canta sucessos como ''Garota de Ipanema'', ''Corcovado'' e ''Insensatez'' em competentes versões de Norman Gimble.

A carreira de Tom Jobim dava um enorme salto para a frente, impulsionada pela universalidade da linguagem musical. O compositor fazia todo o esforço para se renovar, para abrir novas frentes de trabalho e de pesquisa. Era hora de mudar. Em entrevista à escritora Clarice Lispector, alguns anos mais tarde, ele lembraria uma frase de Paul Gauguin, o pós-impressionista que não está entre seus pintores favoritos: ''Quando tua mão direita estiver hábil, pinta com a esquerda; quando a esquerda ficar hábil, pinta com os pés''. Tom descobria que era preciso fugir do *savoir-faire* para entrar sempre um ou dois passos no obscuro. E tudo isso era bem planejado. Nas conversas intermináveis com Vinicius, o compositor se dizia um artista com espírito de matemático. ''Sem forma não há nada'', insistia. ''Mesmo no caótico há forma.'' Esse perfeccionismo, esse desejo de acelerar rumo à perfeição, aliado ao *boom* internacional, começava a afastá-lo de Vinicius.

O poeta, com a alma cada vez mais encharcada de sentimentalismo, já não pertencia, por sua vez, ao universo formalista da poesia. Mesmo um cronista que sabia gostar da vida como Paulo Mendes Campos lhe disse uma vez: ''Vinicius, eu te adoro. Mas você está vivendo num ambiente meio velhaco''. Nada havia, na verdade, de traiçoeiro em sua conversão para os inferninhos da Bossa Nova; havia, sim, a inveja e um pouco de desgosto naqueles poetas que o estavam perdendo — ou já tinham perdido. Vinicius sempre argumentava que, no passado, um poeta como Olegário Mariano dedicou boa parte de seu tempo a escrever letras para valsas. ''Mas valsas não são sambinhas'', retrucou Paulo. O que incomodava seus amigos é que Vinicius tinha se transformado, de vez, numa espécie urbana de poeta repentista, sempre a entoar versos de improviso onde havia uma canção. Vinicius também incomodava os intelectuais pela inconstância de seu tempe-ramento. Desde o casamento com Beatriz de Mello Moraes, a Tati, em 1939, o amigo Di Cavalcanti se especializara em pintar retratos de suas mulheres. Mas, quando o poeta se casou pela quinta vez, em 1963, com Nelita Abreu Rocha, Di não se conteve: "Você tem certeza de que essa é a definitiva?", quis saber. E, diante do silêncio do poeta, estabeleceu: "Está bem, eu pinto mais essa. Mas fique sabendo que é a última", disse, cansado.

O excesso dos sentimentos, que não pareciam caber nem em um só amor, nem num só parceiro, nem numa única profissão, tornavam o poeta um homem exagerado e plural, que se orgulhava de seus exageros e de seu pluralismo. Foi esse poeta que não cabia dentro de si que a poesia brasileira deu de presente para a Bossa Nova. Tom sempre se divertia tentando pro-var um laço de parentesco entre os dois — como se a parceria fosse algo predestinado, uma aliança registrada no sangue muitas décadas antes de eles nascerem. E quis provar. O laço sanguíneo estaria na família Pereira da Silva. O pai de Vinicius se chamava Clodoaldo Pereira da Silva de Mo-raes, o que significa dizer que sua avó paterna tinha esse sobrenome. O bi-savô materno do maestro Tom também era um Pereira da Silva. A família é originária de Pernambuco. Os Pereira da Silva de Vinicius deixaram o Re-cife para se fixar na Bahia antes de vir para o Rio. Os Pereira da Silva de Tom trocaram o Recife pelo Aracati — cidadezinha cearense à margem do rio Jaguaribe, próxima à fronteira do Rio Grande do Norte — antes de des-cer para o sul. "Somos, no mínimo, primos", argumentou Tom várias ve-zes. Mas o laço que os ligava era de outra ordem — não de sangue, era de coração.

Há quem afirme que a dupla foi desfeita porque Tom sentiu ciúmes do encontro de Vinicius com novos parceiros, como Carlos Lyra e Baden Po-well. Tom não aceita essa explicação. Em 1966, quando partiu para os Esta-dos Unidos a convite de Frank Sinatra, o maestro não levou na bagagem qualquer tipo de ressentimento. Na verdade, ele viajava cumprindo um de-sejo do poeta. "Você é muito comodista", reclamava sempre Vinicius, "e além de tudo tem medo de platéia." Ao que o compositor sempre respon-dia: "Não é medo, Vinicius. Acontece que eu não sou um show-man como você". Vinicius sempre terminava essa discussão com um elogio: "Tom, isso me irrita porque você é o melhor músico do mundo". E justificava: "Po-de ser que existam uns dois ou três iguais nos Estados Unidos, mas eu não os conheço. Então não existem". Não tinha medo, quando necessário, de praticar a onipotência.

Tom nunca se afastou completamente de Vinicius. Em 1977, quando já contabilizavam cinqüenta e seis músicas em parceria, os dois subiram ao palco do Canecão ao lado de Toquinho e Miúcha para um dos mais ines-quecíveis shows da casa. Estava programado para três semanas, mas ficou em cartaz quase oito meses. "Até parece que voltamos aos tempos da Zum Zum", festejou o compositor, recordando a pequena boate de Copacabana onde começou, nos anos 60, a moda dos shows "de bolso". O poeta se orgulhava do saudosismo. Era puro e radical. Nos tempos solitários em que morou em Los Angeles, fins da década de 60, Tom Jobim sempre cruzava na rua com o compositor russo Igor Stravinsky, um dos mais versáteis autores da música contemporânea. Nunca teve coragem de lhe dirigir a palavra. Acompanhava seus passos instáveis de octagenário à distância, tomado de reverência, e — em analogia delicada, mas cheia de sabedoria — se lembrava de Vinicius. Com a música serial que teve seu apogeu com o balé *Agon*, dos anos 50, Stravinsky ocupava posição oposta à de Vinicius no universo da arte. Mas alguma coisa os ligava: um tipo contundente de pureza. O poeta também era um homem que só aceitava experiências radicais, e nisso estava seu tipo ímpar de delicadeza. Certa época, o poeta andava muito incomodado com a moda de musicalização de poemas. Virou-se para Tom e pediu: "Olha, parceirinho, antes que algum aventureiro apareça, faça por favor uma musiquinha para o meu 'Soneto da separação' ". Vinicius ficou encantado com o resultado do trabalho e comentou: "Está lindo, porque é uma música que não atrapalha o soneto. Que o deixa quieto". Essa foi uma das raras vezes, na carreira do poeta, em que a música sucedeu a um poema. Tinha medo que a música viesse incomodar os versos, acordá-los de sua elegância. Era um mestre da brandura. Vinicius não acreditava em seriedade, acreditava no momento, com o roldão de emoções caóticas que ele arrasta atrás de si. Tom nunca negou que deve tudo, ou quase tudo, a esse sentimentalista. Mas Vinicius sempre renegou a posição de mestre — o que, aliás, faz parte da posição de mestre. Enigmas que não se dão esse nome. Tom testemunhou que, de todos os enigmas, o mais atroz para o poeta era a mulher. "A mulher não é para ser entendida, é para ser amada", argumentava sempre com o parceiro. E, com um cerimonioso português castiço, completava: "Não há entender mulheres". Essas confissões de ignorância mobilizavam Tom mais do que qualquer exibição luxuosa de saber. Vinicius o guiara para a incompletude atordoante dos sentimentos, e isso agora era um caminho sem volta.

A felicidade é como a pluma
Que o vento vai levando pelo ar
Voa tão leve
Mas tem a vida breve
Precisa que haja vento sem parar

Com Tom Jobim,
acompanhando o violão
de João Gilberto

Novamente com Tom,
agora ao lado do cantor
Agostinho dos Santos

No jardim, escoltado por Edu Lobo,
enquanto Tom brinca de índio

Jobim e Vinicius
no palco:
com a companhia
do uísque

Por Tôda Minha Vida

Ó meu ~~vida~~ bem-amado
Quero fazer de um juramento uma canção
Eu prometo
Por tôda minha vida
Ser sòmente tua
E amar-te como nunca
Ninguém jamais amou ninguém
Ó meu bem-amado
Estrêla por aparecida
Eu te amo
E te procuro
O meu amor, o meu amor...
Mais que tôdo quanto existe
Ó meu amor.....

Manuscrito original
de "Por toda a minha vida"

Uma canção para a filha Maria

VINICIUS
E
TOM

Água de beber

Eu quis amar mas tive medo
E quis salvar meu coração
Mas o amor sabe um segredo
O medo pode matar o seu coração

Água de beber
Água de beber, camará
Água de beber
Água de beber, camará

Eu nunca fiz coisa tão certa
Entrei pra escola do perdão
A minha casa vive aberta
Abri todas as portas do coração

Água de beber
Água de beber, camará
Água de beber
Água de beber, camará

Eu sempre tive uma certeza
Que só me deu desilusão
É que o amor é uma tristeza
Muita mágoa demais para um
                    coração

Água de beber
Água de beber, camará
Água de beber
Água de beber, camará

Amor em paz

Eu amei
Eu amei, ai de mim, muito mais
Do que devia amar
E chorei
Ao sentir que iria sofrer
E me desesperar
Foi então
Que da minha infinita tristeza
Aconteceu você
Encontrei em você a razão de viver
E de amar em paz
E não sofrer mais
Nunca mais
Porque o amor é a coisa mais triste
Quando se desfaz

Andam dizendo

Andam dizendo na noite
Que eu já não te amo
Que eu saio na noite
Mas já não te chamo
Que eu ando talvez
Procurando outro amor

Mas ninguém sabe, querida
O que é ter carinho
Que eu saio na noite
Mas fico sozinho
Mais perto da lua
Mais perto da dor
Perto da dor de saber
Que o meu céu não existe
Que tudo que nasce
Tem sempre um triste fim
Até meu carinho, até nosso amor

Brasília, sinfonia da alvorada

I — O PLANALTO DESERTO

No príncipio era o ermo
Eram antigas solidões sem mágoa.
O altiplano, o infinito descampado
No princípio era o agreste:
O céu azul, a terra
                    vermelho-pungente
E o verde triste do cerrado.
Eram antigas solidões banhadas
De mansos rios inocentes
Por entre as matas recortadas.
Não havia ninguém. A solidão
Mais parecia um povo inexistente
Dizendo coisas sobre nada.
Sim, os campos sem alma
Pareciam falar, e a voz que vinha
Das grandes extensões, dos fundões
                              crepusculares
Nem parecia mais ouvir os passos
Dos velhos bandeirantes, os rudes
                              pioneiros
Que, em busca de ouro e diamantes,
Ecoando as quebradas com o tiro de
                              suas armas,
A tristeza de seus gritos e o tropel
De sua violência contra o índio,
                              estendiam
As fronteiras da pátria muito além
do limite dos tratados.
— Fernão Dias, Anhanguera, Borba
                              Gato,
Vós fostes os heróis das primeiras
marchas para o oeste,
Da conquista do agreste
E da grande planície ensimesmada!
Mas passastes. E da confluência
Das três grandes bacias
Dos três gigantes milinares:
                    Amazonas, São Francisco,
                    Rio da Prata;
Do novo teto do mundo, do planalto
                              iluminado
Partiram também as velhas tribos
                              mal-feridas
E as feras aterradas.
E só ficaram as solidões sem mágoa

O sem-termo, o infinito descampado
Onde, nos campos gerais do fim do
                              dia
Se ouvia o grito da perdiz
A que respondia nos estirões de
                    mata à beira dos rios
O pio melancólico do jaó.
E vinha a noite. Nas campinas
                              celestes
Rebrilhavam mais próximos as
                              estrelas
E o Cruzeiro do Sul resplandecente
Parecia destinado
A ser plantado em terra brasileira:
A Grande Cruz alçada
Sobre a noturna mata do cerrado
Para abençoar o novo bandeirante
O desbravador ousado
O ser de conquista
O Homem!

II — O HOMEM

Sim, era o Homem,
Era finalmente, e definitivamente, o
                              Homem.
Viera para ficar. Tinha nos olhos
A força de um propósito:
          permanecer, vencer as solidões
E os horizontes, desbravar e criar,
                              fundar
E erguer. Suas mãos
Já não traziam outras armas
Que as do trabalho em paz. Sim,
Era finalmente o Homem: o
                    Fundador. Trazia no rosto
A antiga determinação dos
                              bandeirantes,
Mas já não eram o ouro e os
                    diamantes o objeto
De sua cobiça. Olhou tranqüilo o sol
Crepuscular, a iluminar em sua fuga
                    para a noite
Os soturnos monstros e feras do
                              poente.
Depois mirou as estrelas, a luzirem
Na imensa abóbada suspensa
Pelas invisíveis colunas da treva.
Sim, era o Homem...

Vinha de longe, através de muitas
                            solidões,
Lenta, penosamente. Sofria ainda da
                            penúria
Dos caminhos, da dolência dos
                            desertos,
Do cansaço das matas enredadas
A se entredevorarem na luta
                            subterrânea
De suas raízes gigantescas e no
                            abraço uníssono
De seus ramos. Mas agora
Viera para ficar. Seus pés
                            plantaram-se
Na terra vermelha do altiplano. Seu
                            olhar
Descortinou as grandes extensões
                            sem mágoa
No círculo infinito do horizonte. Seu
                            peito
Encheu-se do ar puro do cerrado.
                            Sim, ele plantaria
No deserto uma cidade muita branca
                            e muito pura...

Citação de Oscar Niemeyer

— ''...como uma flor naquela terra
agreste e solitária...''
— Uma cidade erguida em plena
solidão do descampado.
Niemeyer
— ''...como uma mensagem
permanente de graça e poesia...''
— Uma cidade que ao sol vestisse
um vestido de noivado
Niemeyer
— ''... em que a arquitetura se
destacasse branca, como que
flutuando na imensa escuridão do
planalto...''
— Uma cidade que de dia
trabalhasse alegremente
Niemeyer
— ''numa atmosfera de digna
monumentalidade...''
— E à noite, nas horas do langor e
da saudade

Niemeyer
— ''...numa luminação feérica e
dramática...''
— Dormisse num Palácio de
Alvorada!
Niemeyer
— ''...uma cidade de homens felizes,
homens que sintam a vida em toda a
suas plenitude, em toda a sua
fragilidade; homens que
compreendam o valor das coisas
puras...''
— E que fosse como a imagem do
Cruzeiro
No coração da pátria derramada.

Citação de Lúcio Costa

— ''...nascida do gesto primário de quem
assinala um lugar ou dele toma posse:
dois eixos que se cruzam em ângulo
reto, ou seja, o próprio sinal da cruz.''

III — A CHEGADA DOS CANDANGOS

Tratava-se agora de construir: e
construir um ritmo novo.
Para tanto, era necessário convocar
todas as forças vivas da Nação, todos
os homens que, com vontade de
trabalhar e confiança no futuro,
pudessem erguer, num tempo novo,
um novo Tempo.
E, à grande convocação que
conclamava o povo para a gigantesca
tarefa, começaram a chegar de todos
os cantos da imensa pátria os
trabalhadores: os homens simples e
quietos, com pés de raiz, rostos de
couro e mãos de pedra, e que, no
calcanho, em carro de boi, em lombo
de burro, em paus-de-arara, por
todas as formas possíveis e
imagináveis, começaram a chegar de
todos os lados da imensa pátria,
sobretudo do Norte; foram chegando
do Grande Norte, do Meio Norte e
do Nordeste, em sua simples e
áspera doçura; foram chegando em
grandes levas do Grande Leste, da
Zona da Mata, do Centro-Oeste e do
Grande Sul; foram chegando em sua
mudez cheia de esperança, muitas vezes

deixando para trás mulheres e filhos a aguardar suas promessas de melhores dias; foram chegando de tantos povoados, tantas cidades cujos nomes pareciam cantar saudades aos seus ouvidos, dentro dos antigos ritmos da imensa pátria...

Dois locutores alternados
— Boa Viagem! Boca do Acre! Água Branca! Vargem Alta! Amargosa! Xique-Xique! Cruz das Almas! Areia Branca! Limoeiro! Afogados! Morenos! Angelim! Tamboril! Palmares! Taperoá! Triunfo! Aurora! Campanário! Águas Belas! Passagem Franca! Bom Conselho! Brumado! Pedra Azul! Diamantina! Capelinha! Capão Bonito! Campinas! Canoinhas! Porto Belo! Passo Fundo!
Locutor n.º 1
— Cruz Alta...
Locutor n.º 2
— Que foram chegando de todos os lados da imensa pátria...
Locutor n.º 1
— Para construir uma cidade branca e pura...
Locutor n.º 2
— Uma cidade de homens felizes...

IV - O TRABALHO E A CONSTRUÇÃO

— Foi necessário muito mais que engenho, tenacidade e invenção. Foi necessário 1 milhão de metros cúbicos de concreto, e foram necessárias 100 mil toneladas de ferro redondo, e foram necessários milhares e milhares de sacos de cimento, e 500 mil metros cúbicos de areia, e 2 mil quilômetros de fios.
— E 1 milhão de metros cúbicos de brita foi necessário, e quatrocentos quilômetros de laminados, e toneladas e toneladas de madeira foram necessárias. E 60 mil operários! Foram necessários 60 mil trabalhadores vindos de todos os cantos da imensa pátria, sobretudo do Norte! 60 mil candangos foram necessários para desbastar, cavar, estaquear, cortar, serrar, pregar, soldar,

empurrar, cimentar, aplainar, polir, ergue as brancas empenas...
— Ah, as empenas brancas!
— Como penas brancas...
— Ah, as grandes estruturas!
— Tão leves, tão puras...
Como se tivessem sido depositadas de manso por mãos de anjo na terra vermelho-pungente do planalto, em meio à música inflexível, à música lancinante, à música matemática do trabalho humano em progressão...
O trabalho humano que anuncia que a sorte está lançada e a ação é irreversível.

Cantochão
E ao crespúsculo, findo o labor do dia, as rudes mãos vazias de trabalho e os olhos cheios de horizontes que não têm fim, partem os trabalhadores para o descanso, na saudade de seus lares tão distantes e de suas mulheres tão ausentes. O canto com que entristecem ainda mais o sol-das-almas a morrer nas antigas solidões parece chamar as companheiras que se deixaram ficar para trás, à espera de melhores dias; que se deixaram ficar na moldura de uma porta, onde devem permanecer ainda, as mãos cheias de amor e os olhos cheios de horizontes que não têm fim. Que se deixaram ficar muitas terras além, muitas serras além, na esperança de um dia, ao lado de seus homens, poderem participar também da vida da cidade nascendo em comunhão com as estrelas. Que viram, uma manhã, partir os companheiros em busca do trabalho com que lhes dar uma pequena felicidade que não possuem, um pequeno nada com que poder sentir brilhar o futuro no olhar de seus filhos. Esse mesmo trabalho que agora, findo o labor do dia, encaminha os trabalhadores em bando para a grande e fundamental solidão da noite que cai sobre o planalto...

''Deste planalto central, desta solidão que em breve se transformará em cérebro das altas decisões nacionais, lanço os olhos mais uma vez sobre o amanhã do meu país e antevejo esta alvorada com fé inquebrantável e uma confiança sem limites no seu grande destino.''
(Brasília, 2 de outubro de 1956)
Presidente Juscelino Kubitschek de
Oliveira

V - CORAL

I Coro Masculino	II Coro Masculino	III Coro Misto
BRASÍLIA	BRASÍLIA	BRASÍLIA
BRASÍLIA	BRASÍLIA	BRASÍLIA
BRASÍLIA	BRASÍLIA	BRASÍLIA
BRASÍLIA	BRASÍLIA	BRASÍLIA
BRASÍLIA	BRASÍLIA	BRASÍLIA
BRASIL!	BRASIL!	BRASIL!

VI

Terra de sol
Terra de luz
Terra que guarda no céu
A brilhar o sinal de uma cruz
Terra de luz
Terra-esperança, promessa
De um mundo de paz e de amor
Terra de irmãos
Ó alma brasileira...
... Alma brasileira...
Terra-poesia de canções e de perdão
Terra que um dia encontrou seu
coração
Brasil! Brasil!
Ah... Ah... Ah...
B r a s í l i a!
Dlem! Dlem!
Ô... ô... ô... ô

Brigas nunca mais

Chegou, sorriu, venceu, depois
chorou
Então fui eu quem consolou sua
tristeza
Na certeza de que o amor tem
dessas fases más
E é bom para fazer as pazes, mas
Depois fui eu quem dela precisou
E ela então me socorreu
E o nosso amor mostrou que veio
pra ficar
Mais uma vez por toda vida
Bom é mesmo amar em paz
Brigas nunca mais

A cachorrinha

Mas que amor de cachorrinha!
Mas que amor de cachorrinha!

Pode haver coisa no mundo
Mais branca, mais bonitinha
Do que a tua barriguinha
Crivada de mamiquinha?
Pode haver coisa no mundo
Mais travessa, mais tontinha
Que esse amor de cachorrinha
Quando vem fazer festinha
Remexendo a traseirinha?
Uau, uau, uau, uau!
Uau, uau, uau, uau!

Cala, meu amor

Entra, meu amor
Bom você voltar
De onde vem você
Cansado assim?

Vejo tanta dor
No teu triste olhar
Este olhar que, outrora
Se acendia só pra mim

Cala, meu amor
Fala, meu amor
É melhor você nada contar

Venha aos braços meus
Que os abraços meus
Vão finalmente te fazer chorar

Caminho de pedra

Velho caminho por onde passou
Carro de boi, boiadeiro gritando ô ô
Velho caminho por onde passou
O meu carinho chamando por mim ô ô

Caminho perdido na serra
Caminho de pedra onde não vai
ninguém

Só sei que hoje tenho em mim
Um caminho de pedra no peito
também

Hoje sozinho não sei pra onde vou
É o caminho que vai me levando ô ô

Canção do amor demais

Quero chorar porque te amei demais
Quero morrer porque me deste a
vida

Oh, meu amor, será que nunca hei
de ter paz
Será que tudo que há em mim
Só quer sentir saudade

E já nem sei o que vai ser de mim
Tudo me diz que amar será meu fim
Que desespero traz o amor
Eu nem sabia o que era o amor
Agora sei porque não sou feliz

Canção em modo menor

Porque cada manhã me traz
O mesmo sol sem resplendor
E o dia é só um dia a mais
E a noite é sempre a mesma dor
Porque o céu perdeu a cor
E agora em cinzas se desfaz

Porque eu já não posso mais
Sofrer a mágoa que sofri
Porque tudo que eu quero é paz
E a paz só pode vir de ti

Porque meu sonho se perdeu
E eu sempre fui um sonhador
Porque perdidos são meus ais
E foste para nunca mais

Oh, meu amor
Porque minha canção morreu
No apelo mais desolador
Porque a solidão sou eu
Oh, volta aos braços meus, amor,
amor

Canta, canta mais

Canta, canta
Sente a beleza
Canta, canta
Esquece a tristeza
Tanta, tanta
Tanta tristeza
Canta
Ah...

Canta, canta
Canta, vai, vai
Segue cantando em paz
Canta, canta
Canta mais
Canta mais

Chega de saudade

Vai, minha tristeza
E diz a ela que sem ela não pode ser
Diz-lhe numa prece
Que ela regresse
Porque eu não posso mais sofrer

Chega de saudade
A realidade é que sem ela
Não há paz, não há beleza
É só tristeza e a melancolia
Que não sai de mim
Não sai de mim
Não sai

Mas se ela voltar
Se ela voltar
Que coisa linda
Que coisa louca
Pois há menos peixinhos a nadar no
                                    mar
Do que os beijinhos que eu darei na
                                sua boca

Dentro dos meus braços os abraços
Hão de ser milhões de abraços
Apertado assim, colado assim,
                        calado assim,
Abraços e beijinhos e carinhos sem
                            ter fim
Que é pra acabar com esse negócio
De você viver sem mim
Não quero mais esse negócio
De você longe de mim
Vamos deixar desse negócio
De você viver sem mim...

Chora coração

Tem pena de mim
Ouve só meus ais
Que eu não posso mais
Tem pena de mim

Quando o dia está bonito
Ainda a gente se distrai
Mas que triste de repente
Quando o véu da noite cai

Aqui dentro está tão frio
E lá fora está também
Não há tempo mais vazio
Do que longe do meu bem

Derradeira primavera

Põe a mão na minha mão
Só nos resta uma canção
Vamos, volta, o mais é dor
Ouve só uma vez mais
A última vez, a última voz
A voz de um trovador

Fecha os olhos devagar
Vem e chora comigo
O tempo que o amor não nos deu
Toda a infinita espera
O que não foi só teu e meu
Nessa derradeira primavera

Ela é carioca

Ela é carioca
Ela é carioca
Basta o jeitinho dela andar
Nem ninguém tem carinho assim
                            para dar
Eu vejo na cor dos seus olhos
As noites do Rio ao luar
Vejo a mesma luz, vejo o mesmo céu
Vejo o mesmo mar

Ela é meu amor, só me vê a mim
A mim que vivi para encontrar
Na luz do seu olhar
A paz que sonhei
Só sei que sou louco por ela
E pra mim ela é linda demais
E além do mais
Ela é carioca
Ela é carioca

É preciso dizer adeus

É inútil fingir
Não te quero enganar
É preciso dizer adeus
É melhor esquecer
Sei que devo partir
Só me resta dizer adeus

Ah, eu te peço perdão
Mas te quero lembrar
Como foi lindo
O que morreu

E essa beleza do amor
Que foi tão nossa
E me deixa tão só
Eu não quero perder
Eu não quero chorar
Eu não quero trair
Porque tu foste pra mim
Meu amor
Como um dia de sol

Estamos aí

(ver p. 183)

Estrada branca

Estrada branca
Lua branca
Noite alta
Tua falta caminhando
Caminhando
Caminhando
Ao lado meu
Uma saudade
Uma vontade
Tão doída
De uma vida
Vida que morreu

Estrada passarada
Noite clara
Meu caminho é tão sozinho
Tão sozinho
A percorrer
Que mesmo andando
Para a frente
Olhando a lua tristemente
Quanto mais ando
Mais estou perto
De você

Se em vez de noite
Fosse dia
Se o sol brilhasse
E a poesia
Em vez de triste
Fosse alegre
De partir
Se em vez de eu ver
Só minha sombra
Nessa estrada
Eu visse ao longo
Dessa estrada
Uma outra sombra
A me seguir

Mas a verdade
É que a cidade
Ficou longe, ficou longe
Na cidade
Se deixou meu bem-querer
Eu vou sozinho sem carinho
Vou caminhando meu caminho
Vou caminhando com vontade de
morrer

Eu e o meu amor

Eu e o meu amor
E o meu amor...
Que foi-se embora
Me deixando tanta dor
Tanta tristeza
No meu pobre coração
Que até jurou
Não me deixar
E foi-se embora
Para nunca mais voltar

Eu não existo sem você

Eu sei e você sabe, já que a vida
                        quis assim
Que nada nesse mundo levará você
                        de mim
Eu sei e você sabe que a distância
                        não existe
Que todo grande amor
Só é bem grande se for triste
Por isso, meu amor
Não tenha medo de sofrer
Que todos os caminhos me
                encaminham pra você

Assim como o oceano
Só é belo com luar
Assim como a canção
Só tem razão se se cantar
Assim como uma nuvem
Só acontece se chover
Assim como o poeta
Só é grande se sofrer
Assim como viver
Sem ter amor não é viver

Não há você sem mim
E eu não existo sem você

Eu sei que vou te amar

Eu sei que vou te amar
Por toda a minha vida, eu vou te
                                amar
Em cada despedida, eu vou te amar
Desesperadamente
Eu sei que vou te amar

E cada verso meu será
Pra te dizer
Que eu sei que vou te amar
Por toda a minha vida

Eu sei que vou chorar
A cada ausência tua, eu vou chorar
Mas cada volta tua há de apagar
O que esta tua ausência me causou

Eu sei que vou sofrer
A eterna desventura de viver
À espera de viver ao lado teu
Por toda a minha vida

A felicidade

Tristeza não tem fim
Felicidade sim

A felicidade é como a gota
De orvalho numa pétala de flor
Brilha tranqüila
Depois de leve oscila
E cai como uma lágrima de amor

A felicidade do pobre parece
A grande ilusão do carnaval
A gente trabalha o ano inteiro
Por um momento de sonho
Pra fazer a fantasia
De rei ou de pirata ou jardineira
Pra tudo se acabar na quarta-feira

Tristeza não tem fim
Felicidade sim

A felicidade é como a pluma
Que o vento vai levando pelo ar
Voa tão leve
Mas tem a vida breve
Precisa que haja vento sem parar

A minha felicidade está sonhando
Nos olhos da minha namorada
É como esta noite, passando,
                              passando
Em busca da madrugada
Falem baixo, por favor
Pra que ela acorde alegre com o dia
Oferecendo beijos de amor

Frevo de Orfeu

Vem
Vamos dançar ao sol
Vem
Que a banda vai passar
Vem
Ouvir o toque dos clarins
Anunciando o carnaval
E vão brilhando os seus metais
Por entre cores mil
Verde mar, céu de anil
Nunca se viu tanta beleza
Ai, meu Deus
Que lindo o meu Brasil

Garota de Ipanema

Olha que coisa mais linda
Mais cheia de graça
É ela menina
Que vem e que passa
Num doce balanço, a caminho do
                              mar
Moça do corpo dourado
Do sol de Ipanema
O seu balançado é mais que um
                              poema
É a coisa mais linda que eu já vi
                              passar

Ah, porque estou tão sozinho
Ah, porque tudo é tão triste
Ah, a beleza que existe
A beleza que não é só minha
Que também passa sozinha

Ah, se ela soubesse
Que quando ela passa
O mundo inteirinho se enche de
                              graça
E fica mais lindo
Por causa do amor

O grande amor

Haja o que houver
Há sempre um homem para uma
                              mulher
E há de sempre haver
Para esquecer um falso amor
E uma vontade de morrer

Seja como for
Há de vencer o grande amor
Que há de ser no coração
Como um perdão pra quem chorou

Insensatez

Ah, insensatez que você fez
Coração mais sem cuidado
Fez chorar de dor o seu amor
Um amor tão delicado
Ah, por que você foi fraco assim
Assim tão desalmado
Ah, meu coração, quem nunca amou
Não merece ser amado

Vai, meu coração, ouve a razão
Usa só sinceridade
Quem semeia vento, diz a razão
Colhe sempre tempestade
Vai, meu coração, pede perdão
Perdão apaixonado
Vai, porque quem não pede perdão
Não é nunca perdoado

Janelas abertas

Sim
Eu poderia fugir, meu amor
Eu poderia partir
Sem dizer pra onde vou
Nem se devo voltar

Sim
Eu poderia morrer de dor
Eu poderia morrer
E me serenizar

Ah
Eu poderia ficar sempre assim
Como uma casa sombria
Uma casa vazia
Sem luz nem calor

Mas
Quero as janelas abrir
Para que o sol possa vir iluminar
nosso amor

Lamento no morro

Não posso esquecer
O teu olhar
Longe dos olhos meus
Ai, o meu viver
É de esperar
Pra te dizer adeus

Mulher amada
Destino meu
É madrugada
Sereno dos meus olhos já correu

Luciana

Olha que o amor, Luciana
É como a flor, Luciana
Olhos que vivem sorrindo
Riso tão lindo
Canção de paz

Olha que o amor, Luciana
É como a flor que não dura demais
Embriagador
Mas também traz muita dor, Luciana

Maria da Graça

Não é inutilmente
Que existe tanta gente
Que é louca por você, Maria

Você tem tanta graça
Que depois que você passa
O povo diz assim: Maria!

Contando alguma coisa
Ou cantando alguma coisa
Seu nome rima sempre com alegria

Por isso é que eu conto
Que sempre que eu te encontro
Eu acho que não há outra Maria

Não é inutilmente
Que existe tanta gente
Que é louca por você, Maria

Por isso é que sempre que eu conto
Que sempre que eu te encontro
Eu acho que não há outra Maria

Modinha

Não!
Não pode mais meu coração
Viver assim dilacerado
Escravizado a uma ilusão
Que é só desilusão

Ah, não seja a vida sempre assim
Como um luar desesperado
A derramar melancolia em mim
Poesia em mim
Vai, triste canção, sai do meu peito
E semeia emoção
Que chora dentro do meu coração
Coração

O morro não tem vez

O morro não tem vez
E o que ele fez já foi demais
Mas olhem bem vocês
Quando derem vez ao morro
Toda a cidade vai cantar

Morro pede passagem
Morro quer se mostrar
Abram alas pro morro
Tamborim vai falar
É um, é dois, é três
É cem, é mil a batucar

O morro não tem vez
Mas se derem vez ao morro
Toda a cidade vai cantar

Mulher, sempre mulher

Mulher, ai, ai, mulher
Sempre mulher
Dê no que der
Você me abraça, me beija, me xinga
Me bota mandinga
Depois faz a briga
Só pra ver quebrar
Mulher, seja leal
Você bota muita banca
Infelizmente eu não sou jornal

Mulher, martírio meu
O nosso amor
Deu no que deu
E sendo assim, não insista
Desista, vá fazendo a pista
Chore um bocadinho
E se esqueça de mim
E se esqueça de mim

Na hora do adeus

O amor só traz tristeza
Saudade, desilusão
Porém, maior beleza
Nunca existiu pra iluminar
Meu pobre coração

Há quem diga que o amor que se
                                    tem
É uma graça de Deus
Outros dizem que a graça se acaba
Na hora do adeus

Mas, seja como for
Perdoa, amor
E volta aos braços meus

Um nome de mulher

Um nome de mulher
Um nome só e nada mais
E um homem que se preza
Em prantos se desfaz
E faz o que não quer
E perde a paz

Eu, por exemplo, não sabia, ai, ai
O que era amar
Depois você me apareceu
E lá fui eu
E ainda vou mais...

O nosso amor

O nosso amor
Vai ser assim
Eu pra você
Você pra mim
O nosso amor
Vai ser assim
Eu pra você
Você pra mim

Tristeza
Eu não quero nunca mais
Vou fazer você feliz
Vou querer viver em paz

O nosso amor
Vai ser assim
Eu pra você
Você pra mim

Olha, Maria
(ver p. 184)

O que tinha de ser

Porque foste na vida
A última esperança
Encontrar-te me fez criança
Porque já eras meu
Sem eu saber sequer
Porque és o meu homem
E eu tua mulher

Porque tu me chegaste
Sem me dizer que vinhas
E tuas mãos foram minhas com
                                    calma
Porque foste em minh'alma
Como um amanhecer
Porque foste o que tinha de ser

Pelos caminhos da vida

Vai, segue o caminho
Encontrarás meu rosto triste
Em todas as estradas
Os velhos caminhos
Desertos e sem fim
Que seguem sozinhos
Sem vida e sem amor
E que te querem levar
De mim

Ouvirás na voz do vento
Meu constante adeus
E meu coração batendo
Num mesmo passo dos teus

Vai, segue o caminho
Encontrarás em toda parte
A minha grande mágoa
A mágoa das horas
Tão desesperada
Das noites e auroras
Ao longo das estradas
Velhos caminhos
Que não têm fim

Ouvirás a voz do vento
Meu constante adeus
E meu coração batendo
Num mesmo passo dos teus

Vai, segue o caminho
Encontrarás meu rosto triste
Em todas as estradas
Estradas de sol
Varridas pelo vento
Cobertas de estrelas
Em pleno firmamento
E que te trazem de volta
A mim

Por toda a minha vida

(*Exaltação ao amor*)

Minha bem-amada
Quero fazer de um juramento uma
canção
Eu prometo, por toda a minha vida
Ser somente teu e amar-te como
nunca
Ninguém jamais amou, ninguém...

Minha bem-amada
Estrela pura, aparecida
Eu te amo e te proclamo
O meu amor
O meu amor
Maior que tudo quanto existe
Oh, meu amor

Praia branca

(*Vida bela*)

Praia branca, tristeza
Mar sem fim
Lua nova
Mulher
Pobre de mim
Vento sul que o seu corpo acarinhou
Céu azul
De manhã me despertou

Barco a vela
Choupana verde cor
Eu e ele, o menino pescador
Vida bela
A maré, peixe do mar
Morte longe
Tem tempo pra pensar

Se todos fossem iguais a você

Vai tua vida
Teu caminho é de paz e amor
A tua vida
É uma linda canção de amor
Abre teus braços e canta a última
esperança
A esperança divina de amar em paz

Se todos fossem iguais a você
Que maravilha viver
Uma canção pelo ar
Uma mulher a cantar
Uma cidade a cantar
A sorrir, a cantar, a pedir
A beleza de amar
Como o sol, como a flor, como a luz
Amar sem mentir, nem sofrer

Existiria a verdade
Verdade que ninguém vê
Se todos fossem no mundo iguais a
você

Sem você

Sem você
Sem amor
É tudo sofrimento
Pois você
É o amor
Que eu sempre procurei em vão
Você é o que resiste
Ao desespero e à solidão
Nada existe
E o mundo é triste
Sem você
Meu amor, meu amor
Nunca te ausentes de mim
Para que eu viva em paz
Para que eu não sofra mais
Tanta mágoa assim
No mundo
Sem você

Só danço samba

Só danço samba
Só danço samba
Vai, vai, vai, vai, vai
Só danço samba
Só danço samba
Vai

Só danço samba
Só danço samba
Vai, vai, vai, vai, vai
Só danço samba
Só danço samba
Vai

Já dancei o *twist* até demais
Mas não sei
Me cansei
Do calipso
Ao chá-chá-chá

Só danço samba
Só danço samba
Vai, vai, vai, vai, vai
Só danço samba
Só danço samba
Vai

Soneto de separação

De repente do riso fez-se o pranto
Silencioso e branco como a bruma
E das bocas unidas fez-se a espuma
E das mãos espalmadas fez-se o
                                espanto

De repente da calma fez-se o vento
Que dos olhos desfez a última
                                chama
E da paixão fez-se o pressentimento
E do momento imóvel fez-se o
                                drama

De repente, não mais que de repente
Fez-se de triste o que se fez amante
E de sozinho o que se fez contente

Fez-se do amigo próximo, distante
Fez-se da vida uma aventura errante
De repente, não mais que de repente

Valsa do amor de nós dois

Vem ver o mar
Vem que Copacabana é linda
Vamos ser só nós dois
E o que vai ser depois
É melhor, é melhor nem pensar

Ah, namorar...
Os casais nem parecem saber
Nos seus beijos de amor
E o que resta depois
É a valsa do amor de nós dois

Pelas linhas sinuosas
Do passeio à beira-mar
Todo o Rio de Janeiro
Vai querer dançar

E nós, depois
Partiremos num beijo de luz
Pelo céu ao luar
A dançar, a dançar
Esta valsa do amor
De nós dois

2

BADEN POWELL
OU
O ENCANTAMENTO

Existem encontros que são marcados pela incompreensão. Pelo desencontro. A sedução vem, nesses casos, do mistério. E o que motiva os dois parceiros não é o que encontram de admirável no outro, mas no que o outro lhes escapa. Abre-se um abismo desde o primeiro instante e é ele, em seu repuxo ameaçador, que seduz. Talvez nenhuma outra parceria de Vinicius de Moraes guarde tantas semelhanças com o desencontro, com a cegueira e o simultâneo excesso de claridade contido numa relação de estranhamento, quanto a parceria com Baden Powell.

Vinicius se apaixonou pelo que não tinha. Vigorou, do início ao fim, a ignorância, e não a sabedoria. Mas a divergência foi fundamental. Baden e Vinicius viveram uma daquelas amizades viris meio raras hoje em dia, em que os dois lados não temem a doçura porque ela não os ameaça, mas os engrandece. Vinicius nunca teve medo de dizer que, para ele, Baden era uma pergunta a ser domesticada, e não respondida. O violonista nasceu na modesta Varre-e-Sai, norte do Estado do Rio, uma cidadezinha conhecida apenas pelo bom café e pelas bandas de música estridentes. Quando se mudou para o Rio, ainda menino, sua vida se passou ao pé de um morro, no subúrbio — que já foi imperial — de São Cristóvão, enquanto Vinicius circulava, desenvolto, pela zona sul. Nada, portanto, semelhante à juventude engomada do poeta, que cresceu entre jesuítas, poetas latinos, rapazes de família e indagações intelectuais. Tivessem a mesma idade, e o poeta, talvez, jamais o compreenderia. Na adolescência, enquanto Vinicius lia Verlaine e se preparava para enfrentar o padre confessor, Baden tocava violão em igrejinhas do interior, preocupado apenas com a altura da saia das meninas. E, sempre apavorado pela ameaça do gongo, testava seu talento no programa de calouros de Ary Barroso, um senhor respeitável que não poderia mesmo compreendê-lo. Baden amadureceu ouvindo as cordas macias do violão de Dilermando Reis e só de muito longe perseguindo os acordes mais sofisticados do espanhol Andrés Segóvia, o instrumentista que encantava Heitor Villa-Lobos.

Essa herança não tinha qualquer utilidade prática quando ele, esgotado, virava as noites no Cabaré Brasil, na Lapa, afogado no violão para sobreviver. Baden era um rapaz desajeitado e confuso do subúrbio, enquanto Vinicius ainda não tinha perdido aquela pompa mofada do sangue destilado em saraus, bibliotecas e embaixadas. Não teriam mesmo muito a se dizer, não fosse o absoluto descompromisso da música com a lógica. O primeiro encontro foi, absolutamente, um desastre. "Não consegui apertar a mão de Vinicius quando nos conhecemos", recordou mais tarde o violonista. "Nossas mãos direitas estavam ocupadas com copos." Não podia ser de outro modo. O sucesso de Baden Powell como violonista começou nas noites da Boate Plaza, em Copacabana, sublinhado pelo tilintar de cristais. Vinicius, sempre que carregava um copo de uísque na mão, lidava com o mundo como se estivesse escoltando uma poção sagrada. Era natural que, no primeiro encontro, um embaraço de mãos viesse tomar o lugar de outro obstáculo menos aceitável: a desconfiança. As regras da masculinidade não permitiam que homens fossem desconfiados — embora devessem, sabiamente, manter sempre um pé atrás. E a desconfiança é um sentimento muitas vezes fronteiriço de outro que tem a aparência de seu oposto: o arrebatamento. Desconfiar e arrebatar sendo maneiras diversas de responder a um imenso susto.

Vinicius e Baden, felizmente, não estavam tão distantes quanto as aparências indicavam. Houve um susto, mas a parceria nasceu. Traziam na bagagem, naquele primeiro encontro pra valer na Boate Arpege, a mesma galeria de ídolos: Dolores Duran, Antonio Maria, Noel Rosa, Pixinguinha. Toda semelhança, porém, terminava aí e a parceria se deu no rastro da dessemelhança. Vinicius, ainda armado com o protocolo da diplomacia, embora o desnudamento estivesse presente como uma cicatriz apenas disfarçada por uma maquiagem infeliz, parecia pedante, sem ser, ao lado daquele rapaz com nome de escoteiro e sua imensa timidez. Baden, por sua vez, parecia tomado por aquela insensibilidade desgovernada que, habitualmente, por insensibilidade, chamamos de medo. Que Vinicius soube nomear, no exercício de seu dom de poeta, pois não era medo, era o talento que — de tão contido — tremia.

Um talento tão intenso que se transformava em convulsão, e o poeta, antenas sintonizadas na beleza em estado bruto (que às vezes é apavorante), sabia não ter medo daquele medo. Os dedos de Baden, essa foi a primeira imagem que Vinicius guardou, saltavam sobre uma nuvem de cordas. Todos os movimentos eram quase imperceptíveis. Não era piano, mas o poeta se lembrou logo de Thelonious Monk, o grande papai sabichão do jazz moderno, um artista que sempre atraiu suas platéias menos pela coerência que pelos golpes duros com que desalinhava suas expectativas. Era um show de Tom Jobim, um dos primeiros "pocket-shows" de uma onda que fascinaria o Rio, e Baden Powell o acompanhava na guitarra elétrica. Vinicius, fosse menos Vinicius, teria pensado talvez em Bud Powell, que morreria quatro anos depois, longe de seu piano, levando consigo um modo quase religioso de celebrar a técnica. Mas o poeta não cedeu à força algumas vezes cega das palavras, com sua lei bruta das semelhanças, e pensou mesmo em Thelonious. Baden é daqueles músicos tão magnéticos que parecem ter lançado a técnica (e suas obrigações) na lata do lixo. Parecem não ter empenho, ter apenas iluminação. De onde vinha aquilo? Para tentar uma resposta, Vinicius marcou um encontro dias depois, no terraço do Hotel Miramar, na proa da praia de Copacabana, onde tocaram juntos pela primeira vez. O susto, o primeiro grande susto, se confirmou e Vinicius não precisou de mais nada. Tinha um novo parceiro. Carregou Baden para seu apartamento, em Laranjeiras, e os dois vararam madrugadas debruçados no violão. Moraram juntos por três meses — sem que tivessem decidido isso —, regulados por uma espécie de levitação em que a música atuava como força.

Dessa coabitação surgiram os afro-sambas, "Apelo", "Berimbau", o "Samba em prelúdio". Peças que esculpiram, em definitivo, o destino da parceria. A vida de Baden virou de pernas para o ar. Antes daquele encontro, ele era um obscuro músico da noite com uma única música gravada: o "Samba triste", em parceria com Billy Blanco. Agora, em viagem sem interlúdios, ele era atropelado pelo estilo atordoante de seu novo parceiro. "É o Baden? Preciso te ver agora. Estou com umas idéias", disse Vinicius uma amanhã pelo telefone. "Onde posso te encontrar?", perguntou Baden. "Anote aí o endereço: Clínica São Vicente, Gávea." "Mas o que você faz aí?" O poeta não se preocupou em explicar mais: "Estou passando uns dias. Venha para cá, Baden, e traga uma garrafinha de uísque". Vinicius estava internado para se recuperar de uma "estafa". Como que robotizado pela imaginação do parceiro, o violonista passou a freqüentar diariamente a clínica. Trajava sempre um estranho e longo capote, como se estivesse numa história de detetive, tudo para driblar os seguranças com sua garrafa escondida sob o braço. "A estada de Vinicius na clínica produziu uma excelente safra de composições", ironizou mais tarde.

Era a época de Martin Luther King Jr., que impressionou o mundo com sua cruzada a favor dos direitos humanos e da igualdade para sua raça. Luther King morreu em 68, assassinado na sacada de um motel em Memphis; deixou como herdeiros os barulhentos Panteras Negras, mais internacionalistas e menos prudentes. Como descendente de negros, Baden não estava engajado em nada parecido, mas sua simples presença vinha atiçar os preconceitos daqueles senhores gélidos e brancos que cercavam Vinicius. Em muitos círculos, durante algum tempo, se tentou ignorar a importância do violonista. Um dia, numa festa, Baden ouviu o pedido de uma senhora: "O senhor poderia tocar 'Apelo'?". Baden começou a solar, mas a mulher não se convencia de que "aquilo" fosse a música que ela desejava ouvir. "Não é essa", reclama. "Mas é claro que é", se irrita o violonista, e continua mesmo assim. Ela só se convence quando alguém cantarola por sobre a melodia: "Ah, meu amor, não vá embora...". Só com a palavra do poeta Vinicius de Moraes a música parecia recobrar os sentidos.

Baden levou Vinicius de volta — ou não seria uma volta, mas um avanço — ao mundo do samba de raízes africanas, desprovido dos refinamentos da classe média. De saída, a pedido de Ângela Maria, que estava no apogeu de sua carreira de intérprete, fizeram quatro sambas juntos, entre eles o "Samba da bênção", no qual o poeta pedia a bênção até a Francis Himes, seu futuro parceiro, que ainda não conhecia. Vinicius era assim: derramado, prolixo e farto em suas atenções, às vezes excessivo, como os diplomatas geralmente não são. Baden, em contrapartida, introduziu um elemento novo na Bossa Nova: a música de tradição negra, apimentando um pouco um movimento talvez açucarado demais, àquela altura, pela melodia inocente de meninos da zona sul. Nos primeiros tempos, os dois parceiros passavam dias seguidos trancados no apartamento de Vinicius, alimentando-se de café e sanduíches, concentrados inteiramente na composição. Chegavam a abaixar todas as cortinas do apartamento, para que nada os incomodasse, nem a alternância do dia e da noite, tudo parecendo um ritual secreto executado por dois sacerdotes. Tornavam-se irritadiços e arredios. Qualquer presença de estranhos lhes parecia uma invasão, pois só a música importava.

Valeu a pena esse retiro musical. A crítica especializada ainda tentava encontrar em Vinicius a sombra de um Walt Whitman, com seus versos irregulares, livres e generosos, de um Charles Péguy, sempre atormentado por seus fantasmas católicos, ou de um Paul Claudel, com seu misticismo e suas alegorias. Mas estava procurando o que não existia mais. Baden não apenas africanizou Vinicius, ele o transportou para um mundo mais quente, mais contaminado por tradições e sentimentos atávicos, mais — bem mais — incontrolável. Havia, sim, no poeta, um modo muito próprio de entrelaçar o cotidiano com o cósmico, de lançar uma ponte inesperada entre a tradição negra e as interrogações metafísicas da zona sul. Vinicius fazia de tudo isso um grande caldeirão, onde assava sua poesia a fogo brando mas irreversível, e isso assustava os que estavam de fora.

Quando se desligou de Vinicius, anos depois, para compor com um parceiro novo — Paulo Cesar Pinheiro —, Baden não podia mais se livrar da herança do poeta. E nem queria. Afastou-se no momento em que entendeu que Vinicius continuava precisando de um violonista que lhe servisse de solo e de esteio, mas ele não era mais esse homem. Nunca pôde se desvencilhar da imagem de seu primeiro parceiro. Um dia, constatou: "As pessoas vivem me perguntando se eu troquei de mulher". Irritado, concluiu: "Será que eu sou o Rei Zulu? Não é porque Vinicius teve muitos casamentos que eu devo ser igual". Mas muitas extravagâncias, marcas do melhor estilo viniciano, ficaram como que impregnadas em sua alma. Em 1971, numa dessas esquisitices, Baden deu um enorme bolo na RAI, a TV estatal italiana, desprezando um cachê de 2500 dólares. Pequeno escândalo, e fosse ele Vinicius, teria ficado estendido em sua banheira, a conversar com seus versos. Baden passou então a dividir sua vida entre a Europa e o Brasil. A consagração definitiva veio em 1976, numa noite em que a platéia o chamou de volta sete vezes ao palco do Teatro Sistina, em Roma. Alberto Moravia e Liza Minelli estavam na platéia. Dias depois, ele desembarcou em Berlim onde o esperava uma apresentação no Phillarmonic Hall. Chegou ao hotel com 39 graus de febre. Sem que ninguém entendesse — talvez só Vinicius —, meia hora antes do show estava curado. No fim, enquanto era aplaudido por uma platéia fora de si, um médico subiu ao palco para conduzi-lo à força aos camarins. Não podia mais andar. O violonista sempre atribuiu "curas" milagrosas como essa às injeções de vida aplicadas por Vinicius em seu espírito. Em 1979, numa viagem de volta ao Brasil, contabilizou mais de cinqüenta discos gravados na Alemanha, França e Japão. Tornara-se o grande Baden.

Em 83, o violonista se transfere para Baden-Baden (há um mistério contido nessa repetição de seu nome, que só alguém como Vinicius poderia decifrar, e nunca decifrou), cidade no Sul da Alemanha, em plena Floresta Negra. No mesmo ano, três anos portanto após a morte de Vinicius, todo vestido de branco como estaria o poeta numa ocasião assim, se apresenta no Alter Oper, de Frankfurt. Ao fim do show, Baden se vira para a platéia e grita: "Volta, Vinicius!". E, enfatizando seu lamento, continua: "Sem você, meu Vinicius, eu não sou ninguém! Sem você, meu parceiro, eu não sou ninguém!". O pranto, em forma de refrão, se tornaria depois uma marca registrada dos shows do violonista. O luto talvez jamais tenha terminado.

Na companhia de Baden, o poeta promoveu uma virada em sua carreira, fratura que deixaria exposto o excesso de bom-mocismo da música composta em Ipanema e adjacências. Entrou em cena o candomblé, com seu outro tipo de profundidade, amparada em orixás, magia e rituais ininteligíveis para os moços incrédulos da zona sul. Entrou a música de capoeira, com seus jogos de agressões controladas e pernas para o ar. Entraram os sambas de roda, os maneirismos de fundo de quintal, as confissões ao pé do ouvido recitadas por mães-de-santo. Mais que um elemento afro, entrou em cena um dispositivo místico e mágico. Foi diante de Baden Powell, com a força de um legislador, que Vinicius pronunciou pela primeira vez a terrível sentença: "São Paulo é o túmulo do samba". Queria demarcar espaços, fazer ver às platéias que seu mundo agora era outro. Um mundo novamente encantado, cheio de segredos e de enigmas, em tudo oposto ao universo claro e racional dominante nas grandes aglomerações urbanas — de que São Paulo era, ali, apenas um símbolo. Vinicius e Baden, aliás, estavam sempre em São Paulo para espetáculos cada vez mais procurados. Sentavam-se na Praça da República, alheios aos burburinhos da grande teia urbana que os abrigava, e compunham — como se a cidade não existisse. Iam sempre de trem, pelo noturno, porque Vinicius ainda não tinha encontrado Mãe Menininha do Gantois, a grande senhora que o livraria do medo de avião. Planejavam ficar dois ou três dias, já iam com a passagem de volta marcada, mas quantas vezes se esqueciam de voltar e ficavam na cidade uma, duas semanas, envolvidos com sua noite. Vinicius, no fundo, amava São Paulo e um dia assim a comparou ao Rio de Janeiro: "São duas cidades absolutamente iguais. A diferença é que aqui a gente anda, anda e não chega a Ipanema". Suas declarações de amor estavam, assim, sempre envolvidas pelo humor. Que era uma forma sofisticada de timidez.

Aos que o perguntavam se não estava acumulando parceiros — e compromissos — demais, Vinicius dizia: "Enquanto a gente trabalha, não pensa em bobagem". Lições rasteiras, citações do lugar-comum, o poeta se amparava em qualquer explicação para conservar sua liberdade, pois o que importava não era a explicação, mas a liberdade. Empolgado, chegou a declarar um dia: "Não sei por que esse preconceito contra os afro-sambas. Eles não têm nenhuma relação com a Bossa Nova, mas são tão importantes quanto a Bossa Nova". Baden o deixou contaminado por uma onda incomum de otimismo. Ele o energizou com sua negritude estranha, e o poeta se deixou ficar inteiramente encantado. Em 1968, em carta a Chico Buarque de Hollanda, de Roma, ele escreve: "Marcinha (a cantora Márcia) chegou. Agora nós vamos começar nosso show naquela base simples do amor e comunicação, como você, Baden e eu gostamos de fazer". E prossegue: "O que nos motiva é o amor. Não é o amor que move o sol e outras estrelas, como disse Dante Alighieri?". Baden o leva a falar menos e a envolver-se mais com as coisas que o cercam. Ele agora se deixa arrebatar pelo mundo e estabelece que a vida é apenas um sortilégio. O poeta se desintelectualiza. As interrogações são substituídas pelas sensações. As perguntas, por respostas — não importando aqui o que elas pretendam lhe dizer, mas as emoções que lhe podem provocar.

A intuição se torna mais aguda. Uma música como "Formosa" nasceu numa noite em que ele e Baden dividiram uma cabine no noturno para São Paulo. "Está sentindo uma coisa no ar?", perguntou o poeta. Baden não sabia o que responder. "Então vamos compor", disse Vinicius — e a música saiu. O poeta deixou seu parceiro em transe. Deixava-o também muito aflito com as sensações inquietantes que dele se apossavam repentinamente. Certa vez, entre muitas outras, vararam a madrugada compondo. Ao raiar do sol, tinham na mão o "Samba em prelúdio". Eram seis horas da manhã e três garrafas de uísque estavam vazias na mesa da sala do apartamento de Vinicius. Mas o poeta estava inquieto, como se a música não estivesse pronta. "Não sei não, parceiro, mas acho que plagiamos Chopin", confessou a Baden. Vinicius não podia dizer bem de onde, mas aquela canção tinha sido roubada de alguma mazurca ou polonaise de Frédéric Chopin. "Vou acordar minha mulher", anunciou, partindo para o quarto. Não, a música não era um definitivo de Chopin. "Bem, se ele não compôs, foi porque esqueceu de fazer essa", argumentou ao voltar para a sala.

"Sem você, Vinicius, eu não sou ninguém", repetiu Baden Powell em

1988, ao fim de um show no Jazzmania. Vinicius, morto oito anos antes, tinha razão quando pensou em Thelonious Monk ao ouvir seu parceiro pela primeira vez. ''Round about midnight'', a obra-prima do pianista americano, incorporou-se para sempre ao repertório do violonista. Baden sempre pareceu a Vinicius uma pessoa estranha, com suas cismas e seu mundo cerrado, mas o poeta descobriu — e provou — que dentro dele dorme um desses anjos tímidos que iluminam o mundo sem se revelar. Desajeitado, esquivo, silencioso, mas genial. Baden, que começou a carreira tocando na Boate Plaza, em Copacabana, e circulando pelo Beco das Garrafas com Dolores Duran e Silvinha Telles, nunca se engajou diretamente no movimento da Bossa Nova. Ficou sempre à margem, vigiando o sucesso dos outros, seguindo uma trilha solitária. Vinicius soube acompanhá-lo por alguns anos. Fez dele um desses amigos fiéis que, quando se encantam, são capazes de tudo. Um dia, o saxofonista Stan Getz convidou Baden para viajar a Washington e tocar para o presidente Lyndon Johnson, na Casa Branca. ''Impossível'', disse o violonista. ''Já tenho um compromisso marcado com Elis Regina para essa mesma noite.'' Ele se apresentava semanalmente no programa de Elis na TV e o compromisso inadiável era esse. Vinicius fez dele um anjo da guarda.

O poeta só podia mesmo se encantar por um homem assim. No início dos anos 70, Baden tinha levantado vôo. Tocava ao lado de Lalo Schiffrin, Thelonious Monk, Michel Legrand. Tinha ''incorporado'' Vinicius. No início dos 90, uma década depois da morte do poeta, a imprensa anunciou que o violonista ''desaparecera''. Sumira no ar. Sua mulher o procurou em hospitais, postos de polícia, delegacias, até que, dois dias depois, Baden, muito calmo, reapareceu. A explicação era espantosa. Depois de uma noite de trabalho, preparando um novo disco em que tocava Bach, Ernesto Nazareth e Villa-Lobos, ele foi para o quarto, mas não conseguiu dormir. Suas cadelas estavam no cio, uivavam muito e era impossível pegar no sono. Saiu de casa, pegou um táxi e pediu ao motorista: ''Me leve a um hotel''. Atônito, o motorista quis saber: ''Mas que hotel?''. E Baden: ''Um hotel, um hotel qualquer''. Foi parar, por fim, no Apa Hotel, em Copacabana, o mesmo em que costumava se hospedar quando morava em Paris. Caiu na cama e dormiu mais de doze horas. Quando acordou, ainda com o disco na cabeça, pegou outro táxi e foi até São Cristóvão visitar uns amigos. Empolgado, varou outra noite, exibindo as peças preparadas para a gravação. Só na manhã seguinte se lembrou de telefonar para a mulher. Uma história assim parecia tramada por Vinicius. Tinha sua marca registrada, seu estilo de dirigir o real. Alguma coisa do poeta, algo muito forte, continuava vivo em Baden. Agora era difícil dizer quem tinha enfeitiçado quem. Não havia mais diferença entre o feiticeiro e seu feitiço. E o encanto era indestrutível.

O homem que diz "dou" não dá
Porque quem dá mesmo não diz
O homem que diz "vou" não vai
Porque quando foi já não quis
O homem que diz "sou" não é
Porque quem é mesmo é "não sou"
O homem que diz "estou" não está
Porque ninguém está quando quer

Baden, de bigodes:
trancados num apartamento

Trecho do manuscrito original
do "Samba da bênção"

Baden e Vinicius em estúdio

O poeta com Mãe Menininha do Gantois:
elogio da negritude

Parceiros na trilha dos afro-sambas

VINICIUS
E
BADEN

Além do amor

Se tu queres que eu não chore mais
Diga ao tempo que não passe mais
Chora o tempo o mesmo pranto meu
Ele e eu, tanto
Que só para não te entristecer
Que fazer, canto
Canto para que te lembres
Quando eu me for

Deixa-me chorar assim
Porque eu te amo
Dói a vida
Tanto em mim
Porque eu te amo
Beija até o fim
As minhas lágrimas de dor
Porque eu te amo, além do amor!

Amei tanto

Nunca fui covarde
mas agora é tarde

Amei tanto
Que agora nem sei mais chorar

Vivi te buscando
Vivi te encontrando
Vivi te perdendo
Ah, coração, infeliz até quando?
Para ser feliz
Tu vais morrer de dor

Amei tanto
Que agora nem sei mais chorar

Nunca fui covarde
Mas agora é tarde
É tarde demais enfim
A solidão é o fim de quem ama
A chama se esvai, a noite cai em
mim

Um amor em cada coração

Flor que um dia eu vi nascer
O amor voltou a acontecer
Voltou para vencer
Sem mágoa e separação
Teve a maior consagração

Eu é que sou rei (eu sou rei)
Eu é que farei a união
Desfraldarei a cor azul
Do meu pavilhão
Um amor em cada coração

Deixa aí, deixa andar, deixa vir,
deixa estar
Pode ser, e se for, é o amor
Deixa aí, deixa andar

O que é preciso é viver
Morrendo de amor
Porque o amor é o nosso rei
O nosso rei porque é de lei
O nosso rei imperador

Apelo

Ah, meu amor não vás embora
Vê a vida como chora
Vê que triste esta canção
Ah, eu te peço não te ausentes
Porque a dor que agora sentes
Só se esquece no perdão

Ah, minha amada, me perdoa
Pois embora ainda te doa
A tristeza que causei
Eu te suplico não destruas
Tantas coisas que são tuas
Por um mal que já paguei

Ah, minha amada, se soubesses
Da tristeza que há nas preces
Que a chorar te faço eu
Se tu soubesses um momento,
Todo o arrependimento
Como tudo entristeceu

Se tu soubesses como é triste
Eu saber que tu partiste
Sem sequer dizer adeus
Ah, meu amor, tu voltarias
E de novo cairias
A chorar nos braços meus

O astronauta

Quando me pergunto
Se você existe mesmo, amor
Entro logo em órbita
No espaço de mim mesmo, amor

Será que por acaso
A flor sabe que é flor
E a estrela Vênus
Sabe ao menos
Porque brilha mais bonita, amor

O astronauta ao menos
Viu que a Terra é toda azul, amor
Isso é bom saber
Porque é bom morar no azul, amor

Mas você, sei lá
Você é uma mulher
Sim, você é linda
Porque é

Berimbau

Quem é homem de bem, não trai
O amor que lhe quer seu bem
Quem diz muito que vai, não vai
E assim como não vai, não vem
Quem de dentro de si não sai
Vai morrer sem amar ninguém
O dinheiro de quem não dá
É o trabalho de quem não tem
Capoeira que é bom, não cai
E se um dia ele cai, cai bem!

Capoeira me mandou
Dizer que já chegou
Chegou para lutar
Berimbau me confirmou
Vai ter briga de amor
Tristeza, camará

Bocochê

Menina bonita, pra onde é "qu'ocê" vai
Menina bonita, pra onde é "qu'ocê" vai
Vou procurar o meu lindo amor
No fundo do mar
Vou procurar o meu lindo amor
No fundo do mar

Nhem, nhem, nhem
É onda que vai
Nhem, nhem, nhem
É onda que vem
Nhem, nhem, nhem
Tristeza que vai
Nhem, nhem, nhem
Tristeza que vem

Foi e nunca mais voltou
Nunca mais! Nunca mais
Triste, triste me deixou

Nhem, nhem, nhem
É onda que vai
Nhem, nhem, nhem
É a vida que vem
Nhem, nhem, nhem
É a vida que vai
Nhem, nhem, nhem
Não volta ninguém

Menina bonita, não vá para o mar
Menina bonita, não vá para o mar
Vou me casar com o meu lindo amor
No fundo do mar
Vou me casar com o meu lindo amor
No fundo do mar

Nhem, nhem, nhem
É onda que vai
Nhem, nhem, nhem
É onda que vem
Nhem, nhem, nhem
É a vida que vai
Nhem, nhem, nhem
Não volta ninguém

Menina bonita que foi para o mar
Menina bonita que foi para o mar
Dorme, meu bem
Que você também é Iemanjá
Dorme, meu bem
Que você também é Iemanjá

Bom dia, amigo

Bom dia, amigo
Que a paz seja contigo
Eu vim somente dizer
Que eu te amo tanto
Que vou morrer
Amigo... adeus

Canção do amor ausente

Ah, mulher
Tu que criaste o amor
Aqui estou eu tão só
Na imensa treva
Da tua ausência
Mulher, canção
Noturna flor do adeus
Vem me matar de amor
De amor nos braços teus

É tanto o meu amor
Tanto por ti
Que não há dor maior
Do que eu vivi
A dor desta separação
Ouvindo o próprio coração
Bater cada minuto em vão
Da tua ausência

Ai, quem me dera
Dar-me todo a ti
Ai, quem me dera
O tempo que perdi
Ai, quem me dera
Ser o ar
Que ao menos
Roça os lábios teus
E te beijar
Mais um adeus

Canção de enganar tristeza

Se a tristeza um dia
Te encontrar triste e sozinho
Trata dela bem
Porque a tristeza quer carinho
E fala sobre a beleza
Com tanta delicadeza
Por não ter nenhum carinho
Que ela só existe
Por não ter nenhum caminho
E dá-lhe um amor tão lindo
Que quando ela se for indo
Ela vá contente
De ter tido o teu carinho

Canção de ninar meu bem

Hoje a lua despiu seu véu
E flutua a dormir no céu
Na canção que de mim nasceu
Meu amado adormeceu
Meu amado adormeceu

Dorme, meu amor
Como no céu a lua
Tu serás sempre meu
E eu só tua

Dorme, amigo, que a poesia
É um mistério que não tem fim

Dorme em calma
Que assim, um dia
Dormirás para sempre em mim
Dormirás para sempre em mim

Canto de Iemanjá

Iemanjá, Iemanjá
Iemanjá é dona Janaína que vem
Iemanjá, Iemanjá
Iemanjá é muita tristeza que vem

Vem do luar no céu
Vem do luar
No mar coberto de flor, meu bem
De Iemanjá
De Iemanjá a cantar o amor
E a se mirar
Na lua triste no céu, meu bem
Triste no mar

Se você quiser amar
Se você quiser amor
Vem comigo a Salvador
Para ouvir Iemanjá

A cantar, na maré que vai
E na maré que vem
Do fim, mais do fim, do mar
Bem mais além
Bem mais além
Do que o fim do mar
Bem mais além

Canto de Ossanha

O homem que diz "dou" não dá
Porque quem dá mesmo não diz
O homem que diz "vou" não vai
Porque quando foi já não quis
O homem que diz "sou" não é
Porque quem é mesmo é "não sou"
O homem que diz "estou" não está
Porque ninguém está quando quer
Coitado do homem que cai
No canto de Ossanha, traidor
Coitado do homem que vai
Atrás de mandinga de amor

Vai, vai, vai, vai, não vou
Vai, vai, vai, vai, não vou
Vai, vai, vai, vai, não vou
Vai, vai, vai, vai, não vou
Que eu não sou ninguém de ir
Em conversa de esquecer
A tristeza de um amor que passou
Não, eu só vou se for pra ver
Uma estrela aparecer
Na manhã de um novo amor

Amigo sinhô
Saravá
Xangô me mandou lhe dizer
Se é canto de Ossanha, não vá
Que muito vai se arrepender
Pergunte pro seu Orixá
Amor só é bom se doer

Vai, vai, vai, vai amar
Vai, vai, vai, vai sofrer
Vai, vai, vai, vai chorar
Vai, vai, vai, vai dizer
Que eu não sou ninguém de ir
Em conversa de esquecer
A tristeza de um amor que passou
Não, eu só vou se for pra ver
Uma estrela aparecer
Na manhã de um novo amor

Canto de Pedra-preta

Olô, pandeiro
Olô, viola
Olô, pandeiro
Olô, viola

Pandeiro não quer
Que eu sambe aqui
Viola não quer
Que eu vá embora

Olô, pandeiro
Olô, viola

Pandeiro quando toca
Faz Pedra-preta chegar
Viola quando toca
Faz Pedra-preta sambar

Pandeiro diz:
Pedra-preta não samba aqui, não
A viola diz:
Pedra-preta não sai daqui, não

Pedra-preta diz:
Pandeiro tem que pandeirar
Pedra-preta diz:
Viola tem que violar

O galo no terreiro
Fora de hora cantou
Pandeiro foi-se embora
E Pedra-preta gritou

Olô, pandeiro
Olô, viola
Olô, pandeiro
Olô, viola

Canto de Xangô

Eu vim de bem longe
Eu vim, nem sei mais de onde é que
                                    eu vim
Sou filho de Rei
Muito lutei pra ser o que eu sou
Eu sou negro de cor
Mas tudo é só amor em mim
Tudo é só amor, para mim
Xangô Agodô
Hoje é tempo de amor
Hoje é tempo de dor, em mim
Xangô Agodô

Salve, Xangô, meu Rei Senhor
Salve, meu orixá
Tem sete cores sua cor
Sete dias para gente amar

Mas amar é sofrer
Mas amar é morrer de dor
Xangô meu Senhor, saravá!
Xangô meu Senhor!
Mas me faça sofrer
Mas me faça morrer de amor
Xangô meu Senhor, saravá!
Xangô Agodô!

Cavalo-marinho

Cavalo-marinho
Dança no terreiro
Que a dona da casa
Tem muito dinheiro
Cavalo-marinho
Dança na calçada
Que a dona da casa
Tem galinha assada

Minha rua onde eu me criei feliz
Rua onde eu brincava
Rua onde eu brigava
Rua onde eu caía
E onde a poesia
Fez seu aprendiz

Rua alegre, parecia não ter fim
Rua onde eu corria
Atrás do meu arco
Rua onde eu morava
Tinha uma menina
Que cantava assim:

Cavalo-marinho
Dança no terreiro
Que a dona da casa
Tem muito dinheiro
Cavalo-marinho
Dança na calçada
Que a dona da casa
Tem galinha assada

Rua triste, nunca vi tão triste assim
Vinha uma menina
Vindo pela rua
Linda como a lua
E assim como a lua
Deu-se toda a mim

Rua escura, amargura fez-se em mim
Porque hoje eu vivo
Vivo da procura
Da menina pura
Que na noite escura
Me cantava assim:

Cavalo-marinho
Dança no terreiro
Que a dona da casa
Tem muito dinheiro
Cavalo-marinho
Dança na calçada
Que a dona da casa
Tem galinha assada

Consolação

Melhor se não tivesse o amor
Melhor se não tivesse essa dor
E se não tivesse o sofrer
E se não tivesse o chorar
Melhor era tudo se acabar
Melhor era tudo se acabar

Eu amei, amei demais
O que sofri por causa do amor
Ninguém sofreu
Eu chorei, perdi a paz
Mas o que eu sei
É que ninguém nunca teve mais
Mais do que eu

Deixa

Deixa
Fale quem quiser falar, meu bem
Deixa
Deixa o coração falar também
Porque ele tem razão demais
Quando se queixa
Então a gente
Deixa, deixa, deixa, deixa

Ninguém vive mais do que uma vez
Deixa
Diz que sim pra não dizer talvez
Deixa
A paixão também existe
Deixa
Não me deixes ficar triste

Deve ser amor

Sim, sinceramente, amor
Eu não sei o que se passa em mim
É assim como uma dor
Mas que dói sem ser ruim
Sim, é ter no coração
Sempre uma canção
É tão embriagador
Deve ser, sim
Deve ser amor

Samba
Samba diferente
Isto é estar contente
Gosto de chorar, de chorar, de
                              chorar
Samba, ritmo envolvente
Como o amor da gente
Samba em chá-chá-chá
Chá-chá-chá
Chá-chá-chá

É hoje só

É hoje quem sabe lá
Nem depois
E além do mais nunca fez mal
A ninguém
Nós não somos mesmo pó?
Quem é pó não entra bem?
E depois quem sabe mais
Que a paixão?
Fique certa de que o amanhã
Não tem coração

Formosa

Formosa, não faz assim
Carinho não é ruim
Mulher que nega
Não sabe, não
Tem uma coisa de menos
No seu coração

A gente nasce, a gente cresce
A gente quer amar
Mulher que nega
Nega o que não é para negar
A gente pega, a gente entrega
A gente quer morrer
Ninguém tem nada de bom
Sem sofrer
Formosa mulher!

Garota porongondon

Vê só como ela dança bem
Vê só que samba bom
Eu acho que ela tem — tem
Muito porongondon
Ela não é de nhem-nhem-nhem
Ela requebra bem
Eu nunca vi ninguém — heim
Com mais porongondon

Ela dança o *hully-gully*
Ninguém faz o que ela faz
Mas — au-au-ziriguidau-au
Como ela sabe sambar!
Nunca vi ninguém capaz
De fazer o que ela faz
Au-au-au-ziriguidau-au
Ela é demais!

História antiga

Tempo distante
Uma história antiga
Tinha aquela rua
Aquela lua tão amiga
Tinha a nossa casa
E o jardim tão lindo
E você sempre sorrindo
Você cuidando tanto
Do nosso amor

Um velho muro
Uma sebe antiga
Tinha uma cantiga
Tão amiga no silêncio
E no silêncio
Tua voz antiga
Tua voz que foi embora
E agora chora a morte
Do nosso amor

Labareda

Oh, labareda te encostou
Lá vai, lá vai, labareda

Oh, labareda te queimou
Lá vai, lá vai, labareda

Oh, labareda te matou
Lá vai, lá vai, labareda

Te matou de tanto amor
Lá vai, lá vai, labareda

Oh, labareda te encostou
Lá vai, lá vai, labareda

Oh, labareda te matou
Lá vai, lá vai, labareda

Te matou de tanto amor
Lá vai, lá vai, labareda

Labareda
O teu nome é mulher
Quem te quer
Quer perder o coração
Rosa ardente
Bailarina da ilusão
Mata a gente
Mata de paixão

Labareda
Fogo que parece amor
Tua dança
É a chama de uma flor
Labareda
Quem te vê assim dançar
Em teus braços
Logo quer queimar

Linda baiana

Eu vou me mudar
Pra São Salvador
Lá tem mais amor
Tem uma linda baiana por lá
Tem, tem
Tem, eu sei que tem
Porque eu vi como essa baiana
Samba muito bem
Balangandã de lá pra cá
Torso de renda a remexer
E o que está dentro
Juro que nem é bom dizer

Tem, tem, a baianinha tem
Com mais calor
Mais "Sim-Sinhô"
Mais querer-bem
A pele cor-de-mel assim
O olhar cheio de céu assim
Aqui eu paro, que essa baiana
É só pra mim!

Mulher carioca

Ela tem um jeitinho como ninguém
Que ninguém tem

A gaúcha tem a fibra
A mineira o encanto tem
A baiana quando vibra
Tem tudo isso e o céu também

A capixaba bonita
É de dar água na boca
E a linda pernambucana
Ai, meu Deus, que coisa louca!

A mulher amazonense
Quando é boa é demais
Mas a bela cearense
Não fica nada para trás

A paulista tem a "erva"
Além das graças que tem
A nordestina conserva
Toda a vida e o querer-bem

A mulher carioca
O que é que ela tem?
Ela tem tanta coisa
Que nem sabe que tem

Ela tem o bem que tem
Tem o bem que tem o bem
Tem o bem que ela tem
Que ninguém tem, que tem

Ela tem um pouquinho que ninguém
tem
Ela faz um carinho como ninguém
Ela tem um passinho que vai e que
vem
Ela tem um jeitinho de
nhem-nhem-nhem
A carioca tem um jeitinho de
nhem-nhem-nhem
Tem um jeitinho de
nhem-nhem-nhem
Tem um carinho também
A carioca faz um passinho de
nhem-nhem-nhem

Pra que chorar

Pra que chorar
Se o sol já vai raiar
Se o dia vai amanhecer
Pra que sofrer
Se a lua vai nascer
É só o sol se pôr
Pra que chorar
Se existe amor
A questão é só de dar
A questão é só de dor

Quem não chorou
Quem não se lastimou
Não pode nunca mais dizer
Pra que chorar
Se existe amor
A questão é só de dar
A questão é só de dor

Quem não chorou
Quem não se lastimou
Não pode nunca mais dizer
Pra que chorar
Pra que sofrer
Se há sempre um novo amor
Em cada novo amanhecer

Queixa

Cavaco, pandeiro, cuíca
Ganzá, tamborim, violão
E o samba, que coisa mais rica
E o surdo batendo no coração

Deixa
Porque hoje é tudo natural
Deixa
Que essa queixa, sim, é sempre igual

Quando a cidade amanhecer
É carnaval

Cavaco, pandeiro, cuíca...

Deixa
Tomo um trago e lavo o coração
Deixa
Que essa queixa não tem solução

Deixa
Porque quem quer saber
Não sabe não

Deixa
Porque hoje é tudo natural...

Quando a cidade amanhacer
É carnaval

Deixa
Tomo um trago...

Deixa porque hoje é tudo natural
Deixa porque hoje é tudo igual
Dizer ao meu poeta
Vai aí meu coração

Quando a cidade amanhecer
É carnaval

Samba da bênção

Cantado

É melhor ser alegre que ser triste
Alegria é a melhor coisa que existe
É assim como a luz no coração

Mas pra fazer um samba com beleza
É preciso um bocado de tristeza
É preciso um bocado de tristeza
Senão, não se faz um samba não

Falado

Senão é como amar uma mulher só
         linda
E daí? Uma mulher tem que ter
Qualquer coisa além de beleza
Qualquer coisa de triste
Qualquer coisa que chora
Qualquer coisa que sente saudade
Um melejo de amor machucado
Uma beleza que vem da tristeza
De se saber mulher
Feita apenas para amar
Para sofrer pelo seu amor
E pra ser só perdão.

Cantado

Fazer samba não é contar piada
E quem faz samba assim não é de
         nada
O bom samba é uma forma de oração

Porque o samba é a tristeza que balança
E a tristeza tem sempre uma esperança
A tristeza tem sempre uma esperança
De um dia não ser mais triste não

Ponha um pouco de amor numa
         cadência
E vai ver que ninguém no mundo vence
A beleza que tem um samba, não

Porque o samba nasceu lá na Bahia
E se hoje ele é branco na poesia
Se hoje ele é branco na poesia
Ele é negro demais no coração

Falado

Eu, por exemplo, o capitão do mato
Vinicius de Moraes
Poeta e diplomata
O branco mais preto do Brasil
Na linha direta de Xangô, saravá!
A bênção, Senhora
A maior ialorixá da Bahia
Terra de Caymmi e João Gilberto
A bênção, Pixinguinha
Tu que choraste na flauta
Todas as minhas mágoas de amor
A bênção, Cartola, a benção, Sinhô
A bênção, Ismael Silva
Sua bênção, Heitor dos Prazeres
A bênção, Nelson Cavaquinho
A bênção, Geraldo Pinheiro
A bênção, meu bom Cyro Monteiro
Você, sobrinho de Nonô
A bênção, Noel, sua bênção, Ary
A bênção, todos os grandes
Sambistas do Brasil
Branco, preto, mulato
Lindo como a pele macia de Oxô
A bênção, maestro Antonio Carlos Jobim
Parceiro e amigo querido
Que já viajaste tantas canções comigo
E ainda há tantas por viajar
A bênção, Carlinhos Lyra
Parceiro cem por cento
Você que une a ação ao sentimento
E ao pensamento
Feito essa gente que anda por aí
Brincando com a vida
Cuidado, companheiro!
A vida é pra valer
E não se engane não, tem uma só
Duas mesmo que é bom
Ninguém vai me dizer que tem
Sem provar muito bem provado
Com certidão passada em cartório do
         céu
E assinado embaixo: Deus
E com firma reconhecida!
A vida não é brincadeira, amigo
A vida é arte do encontro
Embora haja tanto desencontro pela
         vida
Há sempre uma mulher à sua espera

Com os olhos cheios de carinho
Ponha um pouco de amor na sua
vida
Como no seu samba
A bênção, a bênção, Baden Powell
Amigo novo, parceiro novo
Que fizeste este samba comigo
A bênção, amigo
A bênção, maestro Moacir Santos
Não és um só, és tantos como
O meu Brasil de todos os santos
Inclusive meu São Sebastião
Saravá! A bênção, que eu vou partir
Eu vou ter que dizer adeus

Cantado

Ponha um pouco de amor numa
cadência
E vai ver que ninguém no mundo
vence
A beleza que tem um samba, não

Porque o samba nasceu lá na Bahia
E se hoje ele é branco na poesia
Se hoje ele é branco na poesia
Ele é negro demais no coração

Samba do café

Para fazer
Um bom café, meu bem
Como se faz, lá no Brasil
Precisa pôr tudo a ferver, meu bem
Como se põe, lá no Brasil

Uma frutinha vermelha
Que as moças colhem no pé
E quando é bem torradinho
Fica pretinho e cheiroso
Como ele é, lá no Brasil
Como ele é, lá no Brasil

Para fazer
Um bom café, meu bem
Como se faz, lá no Brasil
Precisa ter
Um bom café, também
Como se tem, lá no Brasil

Tem de ser forte, como o bem
Que a gente tem pelo Brasil
Tem de ser doce, como o amor
Que a gente tem pelo Brasil
Você, seu moço estrangeiro
Só põe açúcar se quer
Mas sendo um bom brasileiro
O seu café vai ser doce
Como se fosse um carinho
O seu café vai ser doce
Como se fosse um beijinho
De uma mulher
Que faz um bom café
Lá no Brasil!
Lá no Brasil!

Samba em prelúdio

Eu sem você
Não tenho porquê
Porque sem você
Não sei nem chorar
Sou chama sem luz
Jardim sem luar
Luar sem amor
Amor sem se dar

Eu sem você
Sou só desamor
Um barco sem mar
Um campo sem flor
Tristeza que vai
Tristeza que vem
Sem você, meu amor, eu não sou
ninguém

Ah, que saudade
Que vontade de ver renascer nossa
vida
Volta, querida
Os meus braços precisam dos teus
Teus abraços precisam dos meus
Estou tão sozinho
Tenho os olhos cansados de olhar
para o além
Vem ver a vida
Sem você, meu amor, eu não sou
ninguém
Sem você, meu amor, eu não sou
ninguém

Samba do Veloso

(Tempo de amor)

Ah, bem melhor seria
Poder viver em paz
Sem ter que sofrer
Sem ter que chorar
Sem ter que querer
Sem ter que se dar

Mas tem que sofrer
Mas tem que chorar
Mas tem que querer
Pra poder amar

Ah, mundo enganador
Paz não quer
Mais dizer adeus

Ah, não existe
Coisa mais triste que ter paz
E se arrepender, e se conformar
E se proteger de um amor a mais

O tempo de amor
É tempo de dor
O tempo de paz
Não faz nem desfaz

Ah, que não seja meu
O mundo onde o amor morreu

Seja feliz

Foi, fico como todo amor se vai
Sem nem dizer aonde vai
Foi e eu fiquei sem ninguém
À espera do que não vem
Que melancolia

Foi, foi só porque eu nada fiz
Como um adeus que nem se deu
Pois seja muito feliz
Infeliz já sou eu
Pra sofrer sofro eu

Só por amor

Só por amor
Só por paixão
Só por você
Você que nunca disse não
Só por saber
Que o coração
Sabe demais
Que a razão não tem razão

Por você que foi só minha
Sem jamais pensar por quê
Por você que apenas tinha
Razões e mais razões para não ser

Só por amor
Só por amado
Só por amar
Meu amor, muito obrigado
Meu amor, muito obrigado

Sonho de amor e paz

Deve haver
Num canto qualquer
Uma ilha
Ao abrigo da dor
Onde um homem e uma mulher
Possam ter seu amor
Um lugar para ser feliz
Sem ninguém
Feito para dois
Onde nunca se fale jamais
E o tempo fugaz
Não diga depois
E o amor seja sempre paz

Tem dó

Ai, tem dó
Quem viveu junto não pode nunca
viver só
Ai, tem dó
Mesmo porque você não vai ter coisa
melhor
Ai, tem dó
Quem viveu junto não pode nunca
viver só
Ai, tem dó
Mesmo porque você não vai ter coisa
melhor

Não me venha achar ruim
Porque você me conheceu assim
Me diga agora, e agora
Não foi assim que você gamou
Você sabe muito bem
Que mesmo louco assim gamei
também

Me diga agora
Ora, ora
Será que alguém não foi quem
mudou

Tempo feliz

Feliz o tempo que passou, passou
Tempo tão cheio de recordações
Tantas canções ele deixou, deixou
Trazendo paz a tantos corações

Que sons mais lindos tinha pelo ar
Que alegria de viver
Ah, meu amor, que tristeza me dá
Vendo o dia querendo amanhecer
E ninguém cantar

Mas, meu bem
Deixa estar, tempo vai
Tempo vem
E quando um dia esse tempo voltar
Eu nem quero pensar no que vai ser
Até o sol raiar

Tristeza e solidão

Sou da linha de umbanda
Vou no babalaô
Para pedir pra ela voltar pra mim
Porque assim eu sei que vou morrer
de dor

Ela não sabe
Quanta tristeza cabe numa solidão
Eu sei que ela não pensa
Quanto a indiferença
Dói num coração
Se ela soubesse
O que acontece quando estou
sozinho assim
Mas ela me condena
Ela não tem pena
Não tem dó de mim

Valsa sem nome

Nada poderia contar-te um dia
O que é sofrer por teu amor
Mas na poesia não saberia
Contar-te nunca o meu amor
Eu te amo tanto
Que o meu pranto corre
E corre apenas em lembrar
O teu encanto
O teu silêncio e
Essa magia de te amar

Oh, meu amado
A vida é nada
E o tempo é só uma ilusão
Mas eu amo 'anto
Pois tu existes
E eu tenho um templo no coração
Mas as palavras não têm som e nem
cor
Para dizer do grande desespero
De te amar em prantos
E te amando em prantos
Cantar novos cantos
Proclamando o amor

3

CARLOS LYRA
OU
A MELANCOLIA

As lembranças infantis costumam ser vozes e imagens manchadas pela vagueza e pela imprecisão. O compositor Carlos Lyra tem uma recordação assim. Um dia, alguém se aproximou de seu pai durante um desses jantares de família em que os temas flutuam como sombras e perguntou: "Mas, afinal, qual é seu poeta preferido?". Lyra acha que ouviu seu pai responder: "Vinicius de Moraes". Gravou um nome parecido com esse, e durante anos guardou para si a pergunta: quem era aquele poeta? Só depois dos vinte anos de idade, quando se preparava para ser arquiteto, ele descobriu os versos de Vinicius e então pôde confirmar o que tinha ouvido de seu pai. Lyra já era compositor, parceiro de Ronaldo Bôscoli, quando decidiu que queria conhecer Vinicius. O poeta e Bôscoli eram amigos, mas estavam brigados. Lyra levou semanas, sem coragem, desejando pedir o telefone ao parceiro. Por fim, conseguiu o número através de outro amigo. "É o Vinicius de Moraes, o poeta?", perguntou, num exagero de precisão. "Aqui é o Carlos Lyra quem está falando." Não sabia como continuar, mas a resposta de Vinicius — "Carlinhos, eu já ouvi falar muito de você" — o encorajou. Foi direto: "Eu queria que você fizesse umas letras para mim". Vinicius, como sempre, não perdeu a chance de mostrar quem era mais rápido: "Vem aqui para casa agora e a gente faz".

Lyra carregou o violão, imaginando a cena assim: ele e o poeta em torno de uma mesa, alguma bebida, os dois curvados como enfermeiros sobre uma canção que começava a nascer. Para sua surpresa, o poeta o recebeu com um gravador na mão. "Vai, grava aqui tuas musiquinhas. Vai gravando que depois eu escuto", disse. O compositor, que tinha então 25 anos, gravou mais de dez músicas, uma atrás da outra, imaginando que em seguida Vinicius se debruçaria sobre a máquina e começaria a desfiar versos inacreditáveis. Sonhou demais outra vez. "Agora vai para casa, rapaz. Vai que daqui a uma semana eu te telefono", agradeceu Vinicius. Parecia apenas uma fórmula ensaiada e bem-educada de se livrar de músicos inconvenientes.

Porém não era. Uma semana depois, o telefone tocou. "Alô, quem fala?" "É o Carlos Lyra", respondeu. "Ah, parceirinho... Pode vir que as tuas letrinhas estão prontas." Lyra descobriu ali o primeiro atributo do poeta: o modo de adoçar o mundo reduzindo todas as palavras a seus diminutivos. Tornou-se o "parceirinho" para o resto da vida.

"Olha, tem uma letrinha nova para você aqui", apresentou Vinicius. "É para aquela tua melodiazinha assim: lá lá ri rá rá lá rá..." O compositor tentou cantar, mas a música não cedia à pressão dos versos. O que aquele doido tinha inventado? Lyra insistia nos versos: "Olha que coisa mais linda/ mais cheia de graça...". Só que a música apresentada pelo poeta era a de "Minha namorada" — e nada podia mesmo combinar. Vinicius ainda levou algum tempo para se dar conta do que se passava. "Não, não é essa não", protestou finalmente. "Essa é uma letrinha que estou fazendo para o Tonzinho." Guardou a letra no bolso do paletó e, de outro bolso, puxou uma segunda letra — a certa. Vinicius não usava cadernos ou blocos. Ia acumulando seus versos em folhas soltas pelos bolsos, pelas gavetas, e seus parceiros estavam eternamente expostos a confusões desse tipo. Era preciso saber conviver com aquela maneira desordenada de criar, concluiu o compositor. E se resignou.

Aquela desordem, só muito mais tarde Lyra seria capaz de entender, era a outra face de um sentimento de caos interior, com seus dois preços: a criatividade e a confusão. Era também uma forma exterior tomada pela melancolia, sentimento incômodo que Vinicius carregava consigo, mesmo nos momentos de maior felicidade. Se para ser poeta era preciso ser também desordenado, Lyra não se importava. Algumas vezes as conseqüências foram bastante duras. O hábito de gravar as canções virou regra. Certa vez, Lyra chegou a ter perto de quarenta músicas registradas numa dessas enormes fitas de rolo dos gravadores antigos. Pois bem: o poeta perdeu a fita. Quando se separou de Nelita Abreu Rocha, em fins de 1968, saiu carregando apenas uma muda de roupa e a escova de dentes. Largou para trás a fita com as melodias. Muitos anos depois, numa noite em torno do violão, Lyra ouviu o poeta dizer: "Vou te mostrar mais uma das minhas musiquinhas que você não conhece". Não foi preciso muito para o compositor compreender e protestar: "Como musiquinha tua? Essa música é minha!". E, sem conseguir controlar uma crise de riso: "Essa tua musiquinha estava naquela fita com as minhas musiquinhas que você perdeu anos atrás". Vinicius parou de cantar, riu também e só soube dizer: "É mesmo, parceirinho?". Ali onde qualquer outro veria uma maldade, Carlos Lyra soube ver uma ponta da balbúrdia criativa que Vinicius guardava no coração. Soube amá-lo ainda mais por isso. O poeta ainda tentou se justificar: "É que reencontrei aquela tua fita e andei mexendo nela. Eu já estou separando as músicas, já estou me organizando". Lyra, tomado pela ternura, pensou com seus botões: "Se organizando... Isso já é demais".

Vinicius tinha um estilo de lidar com a vida que era mais forte que todas as suas boas intenções. Certa vez os dois subiram juntos para Petrópolis, dispostos a produzir peças para um musical — que viria a ser o quase inédito *Pobre menina rica*. Instalaram-se numa ampla sala, Lyra com seu violão e o poeta postado com uma máquina de escrever. O compositor repetia várias vezes a mesma música para um Vinicius absorto, encolhido no canto de um sofá entre cobertores. Depois, o poeta se postava diante da máquina de escrever. Uma vez, levou ali bem mais de uma hora, escrevendo e reescrevendo. Finalmente, entregou a Lyra uma letra. Novamente letra e melodia se estranhavam. Antes que seu parceiro reclamasse, Vinicius explicou: "Essa não é para cantar assim não. Essa eu fiz para uma outra música". Era preciso saber seguir sua instabilidade, ou qualquer parceiro estaria perdido. Era preciso se entregar.

Quando a letra estava finalmente pronta, Vinicius pedia a seu parceiro que a repetisse várias vezes no violão. Às vezes balançava a cabeça compulsivamente de cima para baixo, num movimento ondulado, e qualquer um juraria que aquilo era um sinal de aprovação, mas Lyra sabia que daquele modo ele dizia o seu "não". Outras vezes, enquanto ouvia, repetia baixinho: "É, sei... Eu sei...". O compositor aprendeu a entender que aquela era uma forma elegante do poeta reclamar, pois não estava gostando do que ouvia. Quando estava satisfeito, Vinicius pegava um pedaço de papel e um lápis, ou corria de volta à máquina de escrever, e saía rabiscando a letra aprovada, como se tivesse medo de perdê-la. Havia em sua face, nessas horas, uma expressão próxima ao gozo. Um gozo de espírito.

Lyra encontrou em Vinicius, assim, um tipo de sensibilidade especial para detectar a combinação perfeita entre melodia e poema. Só conseguia se lembrar de um homem capaz de realizar esse ajuste com tanta precisão: o recém-falecido Cole Porter, um de seus ídolos, mestre inigualável na sincronia dos sons com as palavras. Mais ninguém. Lyra achava que nisso havia alguma razão extra-sensorial. Estava firmemente convencido de que o poeta era dotado de um atributo desumano que lhe dava o poder de ouvir o que outros não conseguiam ouvir. "Vinicius, de onde você tira tanta coragem?", costumava perguntar. O poeta era um homem especializado em se meter em encrencas do tamanho de um bonde — e em sair delas. Entradas e saídas em casamentos, parcerias feitas e desfeitas, o mundo abarcado com as pernas de um modo que ele parecia ser o criador da expressão. E, sob tudo isso, como um pântano escondido sob o alvoroço de um bando de garças, uma imensa melancolia. A tristeza era a musa de Vinicius.

Lyra perguntava o que era aquilo e Vinicius respondia com um verso: "A tristeza tem sempre a esperança de um dia não ser mais triste, não". Isso era a melancolia, uma depressão lânguida, levemente açucarada pelas vantagens da paixão, que não entrava em desespero, mas em exaltação. Uma tristeza exaltada — e otimista, se é que se pode pensar nisso. Poucos anos antes de morrer, uma repórter chegou para Vinicius e perguntou: "Você está com medo da morte?". Diante daquela ignorância feita doçura — e o poeta soube, apesar de tudo, se encantar com a menina —, ele respondeu: "Não, filhinha. Estou com saudade da vida". Ali estava a melancolia: um estado em que o desespero se converte em potência. Vinicius era assim nas pequenas coisas. Uma das esquisitices que mais intrigou Carlos Lyra ao longo dos cinco anos intensos de parceria — entre 1958 e 63 — foi o prazer que o poeta tinha em ficar resfriado. "Como você pode gostar disso?", quis saber o parceiro um dia. "Essa corizazinha correndo do nariz, esse calafrio percorrendo o corpo, essa coisa gostosa... Nada mais relaxante que uma gripe", explicou. Manias como a de receber visitas esticado em sua banheira, os convidados aboletados no bidê ou no boxe, os copos de uísque tilintando em contato com os ladrilhos. Alguns mais descontraídos, como o industrial Zequinha Marques da Costa, eram convidados a dividir a banheira com o poeta, e aceitavam sem qualquer constrangimento. Era a máxima deferência, destinada apenas a homens muito especiais. Vinicius elegeu sempre alguns amigos para transformá-los em personagens de seu mundo pessoal, fazer com que fossem o que não eram, e não havia declaração mais sofisticada de amor. Ele inventou durante meses, por exemplo, que Marques da Costa seria o diretor do musical *Pobre menina rica*, mesmo sabendo que ele não tinha a menor competência para tanto. Era uma forma de mesclar a realidade com doses fartas de ficção, tornar o mundo mais divertido e dar prazer a amigos muito queridos. Vinicius sabia construir o seu folclore pessoal — e dirigi-lo, com a sofisticação de um grande encenador.

Carlos Lyra também era, muitas vezes, alçado a esse patamar ficcional, em que a vida diária era invadida por invencionices, e ali estava, talvez, a melhor prova do talento pouco exercitado de Vinicius para a carreira de romancista. Outras vezes, Lyra viu a ficção invadir de modo mais contundente ainda a vida real, com resultados nem sempre compatíveis com o bom senso. O musical *Pobre menina rica* estava sendo exibido na boate Bon Gourmet, estrelado por Lyra e Nara Leão. Após o show, Vinicius entrou no camarim dos cantores aos gritos: "Roubaram! Roubaram meu carro!". Seu Volks, que ficava sempre estacionado em frente à boate, tinha desaparecido. O poeta chamou a polícia, registrou queixa, fez um enorme estardalhaço. Nenhuma pista. No dia seguinte, no fim do espetáculo, Vinicius apareceu novamente no camarim. "E aí, notícias do carro?", perguntou Nara. "Eu vou dizer a verdade, mas não contem para ninguém", pediu o poeta. "Esqueci que tinha estacionado na rua de trás. Hoje encontrei meu carro lá, quietinho."

Mas Vinicius era um homem que não se irritava com os equívocos, ao contrário, aceitava os enganos e as trapaças da realidade e até se divertia com eles. A poesia o ensinara que a vida só se passa em linha reta nos livros, não na realidade — ou mesmo nos poemas. O poeta adorava um malentendido, e até estimulava seu aparecimento. Não tinha nenhuma cerimônia em intervir na realidade com sua alma pesada de artista, como se o real fosse mero adereço de sua poesia. Quando se apaixonou por Nelita Abreu Rocha, por exemplo, teve sérios problemas com a família da moça, que não aceitava a enorme diferença de idade entre ambos. A pressão dos pais era tanta que a paixão, com rapidez, se converteu em melancolia. Chegou, um dia, para Carlos Lyra e disse: "Parceirinho, sabe de uma coisa? Não estou agüentando mais, não". E, para horror do compositor, acrescentou: "Estou a fim de desencarnar". Lyra então se lembrou, de imediato, de uma música: "Bom dia, amigo", que Vinicius fizera com Baden Powell. A letra diz assim: "Bom dia, amigo / A paz seja contigo / Eu vim somente dizer / Que te amo tanto / Que vou morrer". Sentiu um frio na espinha, pois ali estava o poeta à sua frente tentando, agora, representar o poema — como se ele fosse o *script* de uma peça e Vinicius um ator. Armações da melancolia: Lyra estava vacinado e se controlou. Mas não deixou de pensar consigo mesmo: "Meu Deus, o Vinicius quer morrer. Então o que vai sobrar?". Sem saber o que dizer, Lyra apegou-se a uma declaração de amor: "Vinicius, eu te adoro". O poeta, colocando as palavras com a mestria de um poeta que era, respondeu: "Parceirinho, você é o maior amigo que eu jamais tive". Lyra relaxou, mas não pôde tirar da cabeça a fórmula: "... que eu jamais tive". Aquele era o Vinicius, sempre capaz de moldar a melancolia com palavras, como um domador que amansa a sua fera com um chicote. Palavras, então, eram chicotes.

Nelita tinha dezenove anos de idade. Vinicius estava arrasado, pois a muralha de bons argumentos erguida pela família da moça parecia intransponível. Sem saber o que dizer, Lyra arriscou: "Então, por que você não a rapta?". Os dois estavam frente a frente, na mesa da cozinha do apartamento do compositor, xícaras de café preto fumegante à frente. Lyra não pôde esquecer, então, das risadas de Vinicius por entre a fumaça: "Hi, hi, hi...". As risadas, antes compassadas, foram se convertendo em ataque de riso. "Raptar, é? Sabe que isso é uma grande idéia?", conseguiu dizer por fim o poeta. O parceiro estremeceu: "Você acha mesmo?". Nem teve tempo para expor suas dúvidas: "Vamos planejar esse rapto?", perguntou Vinicius. "Mas agora?", só restou a Lyra dizer. "É, agora. Você me ajuda?" Poetas são assim: pegam uma idéia solta no ar, um fragmento de idéia, e em torno dela montam um mundo. O rapto foi planejado aquela noite mesmo na cozinha. E executado. Claro, com o apoio da vítima. Durante muitos dias, Nelita foi carregando para a casa de Lyra, sem que os pais notassem, objetos de uso pessoal. Vinicius comprou duas passagens aéreas para Paris e marcou o dia da fuga. Lyra foi eleito para dirigir o automóvel que levaria o algoz e sua feliz vítima ao Galeão.

Problemas: naquele mesmo dia, Carlos Lyra embarcaria para Nova York e seu vôo partiria várias horas mais cedo. "E agora, o que você vai fazer?", perguntou. "Não tem problema, eu escalo o Tom", disse o poeta sem qualquer preocupação. Tudo parecia muito normal. Na hora marcada, Tom Jobim se apresentou na casa de Vinicius. Vestia paletó, camisa aberta no peito como se tivesse se preparado com rapidez, os cabelos em desalinho. "Nossa, parece que você vai a um funeral, não a um rapto", observou o poeta com franqueza. Tom se virou, então, para Carlos Lyra, que dera uma passada rápida para se despedir, e reclamou: "Pois é, aquele tiro que vem aí era para você, agora será para mim". E confessou: "Estou mesmo é apavorado". Vinicius não deu tempo para que o compositor, agora investido da função de motorista, viesse com novos argumentos. "Pois é, veio, agora tem que levar." No dia seguinte, o casal já instalado em Paris, a família de Nelita mandou publicar nos jornais, numa lição de sabedoria, o aviso: "O sr. e a sra. Rocha têm o prazer de comunicar o casamento de sua filha Nelita com o poeta Vinicius de Moraes". A fantasia triunfou sobre a mediocridade.

Em 1964, com o golpe militar, Carlos Lyra foi obrigado a deixar o país. No México, conheceu Kate, que se tornaria sua mulher. Depois viveu em Nova York, Tóquio, Paris, passou uma temporada em Pequim. Quando voltou ao Brasil, já nos anos 70, encontrou o parceiro casado com a baiana Gessy Gesse. Lyra levou Kate a Salvador para apresentá-la ao poeta, e o encontrou já totalmente envolvido com o candomblé. "Devemos batizar sua mulher", anunciou o poeta. Lyra jamais poderia imaginar que Vinicius seria o sacerdote — função de que estava investido, agora, pela religião que adotara. A cerimônia foi dentro do mar, Vinicius com as calças arregaçadas até o joelho, os cabelos tremidos pelo vento. Mas nem assim admitia que o vissem como um guru. A parceria, é verdade, já não funcionava mais. A última composição da dupla tinha sido o hino da União Nacional dos Estudantes, alinhavado em 1963. Naquela ocasião, Lyra fez a música e a ofereceu a Vianinha para que fizesse a letra. O dramaturgo não aceitou: "Não dá, não sou letrista". Lyra teve um pouco de medo na hora de sugerir, mas arriscou: "Posso chamar o Vinicius?". Vianinha abriu um vasto sorriso, maculado apenas pela dúvida: "Mas será que ele faz?". O compositor pegou o telefone e começou assim: "Parceiro, fomos escalados para fazer o hino da UNE". O "fomos escalados" dava ao convite a aparência de uma intimação. Meia hora depois, estavam juntos para compor. No fim da tarde, o hino estava pronto.

A parceria terminou com o triunfo — felizmente sempre transitório — da melancolia. Uma noite, numa mesa de bar em São Paulo, Vinicius se virou para Lyra e disse: "Não quero saber de mais nada". O parceiro já se acostumara com as ondulações reinantes no espírito do poeta, uma alma toda empenada como uma montanha russa, e não se assustou. "Precisamos é fazer outro musical", disse. E desconsiderou a gravidade da declaração. Mas dessa vez o baque parecia mais grave: "Sabe de uma coisa, parceirinho, eu não acredito mais em arte". Lyra pensou consigo mesmo: "Isso é muito grave. Mais grave do que aquela história de querer morrer". Tinha que dizer alguma coisa: "Se você não acredita mais em arte, quer dizer que não vai mais fazer música?". A crise de Vinicius, porém, não podia ser resolvida com uma decisão prática. Não fazia parte do mundo real. "Podemos continuar a compor", disse o poeta, tranqüilamente, "mas eu não acredito mais em arte." E concluiu: "Isso acabou". Estávamos no ano infernal de 1963. O país entrara na ebulição que prenunciava o golpe militar do ano seguinte e um poeta, enquanto isso, desistia da arte, sentado em um barzinho do centro de São Paulo. Tudo fazia sentido. Talvez sentido demais — e por isso se tornava insuportável. Vinicius falava muito a sério. A partir dali, deu praticamente por encerradas as parcerias com os três homens mais importantes de sua vida artística: Tom Jobim, Baden Powell e Carlinhos Lyra. Até ali, com a habilidade de um equilibrista, ele soubera conciliar os humores, as exigências e os temperamentos de três homens tão diferentes. Agora tudo parecia esgotado.

Mas, é claro, não estava. A tristeza em Vinicius sempre funcionou como um motor de arranque. Uma motivação subliminar que escapa àqueles mais acostumados a enxergar a verdade nas aparências, mas sem o que nada funcionaria. O país guarda de Vinicius de Moraes a imagem de um homem alegre, obstinado pelo prazer, irreverente. É bom que seja assim, mas essa não é toda a verdade. De todos os parceiros, Carlos Lyra foi aquele que melhor soube enxergar essa tristeza que, em Vinicius, era condição subjacente a toda alegria. Talvez tenha sido o único que não caiu na narrativa fabulosa que Vinicius permitiu que armassem a seu próprio respeito. O que mais soube tomar distância do mito e emprestar sua atenção ao homem. Uma relação tão direta, é claro, produziu atritos. O compositor sempre se irritava quando ia visitar o poeta e encontrava a casa tomada por músicos, Miucha esticada no sofá da sala, três ou quatro violonistas compondo na cozinha, um cansativo entra e sai. "Você é uma espécie de *open-house* como pessoa", disse um dia. Vinicius aproveitou, então, para reclamar da introversão de Lyra, um homem sempre desconfiado, que pensa duas vezes antes de falar. "Pois é, Vinicius, eu sou assim mesmo. Eu não procuro as pessoas e não gosto de ser procurado por qualquer um." O poeta não gostou nem um pouco do que ouviu, mas ficou calado. Tempos depois, na mesa de um restaurante, expôs sua mágoa. "Foi assim, você teve a ousadia de me dizer isso", reclamou. "Foi, você entendeu muito bem", Lyra não recuou. "Pois você precisa tomar mais cuidado com tua língua." Baixou um estranho silêncio, desses que ninguém pode dizer em que direção vai levar. Por fim, Vinicius tomou a palavra: "Pois é, vai ver que eu não tinha percebido que você é assim mesmo", disse. "Tanto tempo e não percebi!" Lyra estava aliviado, pois o poeta se dobrava às evidências: a poesia pode tudo, menos controlar a vida concreta. Foi duro: "Pois é, eu acho que você nunca me entendeu mesmo". Mas trazia uma enorme alegria no coração. A melancolia, que ficara entravada na garganta de Vinicius como um veneno, novamente levava à lucidez. Aquela era uma misteriosa maneira de se chegar à felicidade. Mas era ser feliz.

Lyra sempre entendeu que Vinicius era uma pessoa tomada por uma força mística que suplantava a potência artística. Quantas vezes entregou uma música crua e, dias depois, recebia uma canção preciosa, como se a letra tivesse o poder de esculpir a melodia. Desde a primeira vez que lhe veio essa sensação, não a escondeu: "Eu não acredito. Era exatamente isso o que eu queria dizer. Só que eu não podia saber". Lyra sempre comparou o parceiro a um cartomante que, de olhos vendados, tendo apenas a própria ignorância como instrumento, consegue chegar à verdade. O compositor, que sempre se considerou incompetente para dizer o que suas músicas afinal queriam dizer, encontrou no poeta um porta-voz. Um homem que pegava melodias mudas e as fazia falar. Mais um ventríloquo que um cartomante. Vinicius costumava ouvir as canções de olhos fechados, como se estivesse sintonizado em alguma outra camada imperceptível da melodia, em busca do fio que, uma vez puxado, faria o sentido aparecer. Havia alguma coisa de mediúnico nesse modo delicado de se deixar dependurar na poesia do outro. Lyra dizia: "Eu não entendo o que você faz quando faz o que faz". E Vinicius, para tornar tudo ainda mais complicado: "Eu também não".

Foram parceiros de fé, que envolveram todas essas especulações em muita descontração, brincadeira, esculhambação da seriedade alheia. O problema de Vinicius não era com a seriedade, mas com a pose de sério. Queria desmontar essa ilusão do homem bem pensante e compenetrado com pequenas incontinências. Lyra implicava com seu paletó preto às vezes coberto de caspa, pois o poeta certas vezes protestava fazendo greve de banho. Eram pequenas irresponsabilidades, que o parceiro sabia ver não como sinais precoces de decadência, mas — corretamente — como indícios quase invisíveis de um pacto ostensivo com a liberdade. O gosto por cafezinho frio, quase gelado, o que Lyra aprendeu a interpretar como um modo de negar as normas do bom gosto. A mania de levar convidados para a banheira, o que era uma forma afetuosa de romper com as regras da elegância e projetar novas utilidades para os objetos. Vinicius tirava proveito das situações mais corriqueiras para fundar suas próprias normas. Não foi um poeta que escreveu poesia, foi um poeta que poetizou o mundo.

Pode ir
Pode fazer o que melhor entender
Porque, amor, cada um sabe de si
Mas se você quiser brincar com o nosso amor
Não vem, que alguém provavelmente
Vai amargurar a grande dor
De ver alguém também querer partir
Porque partir é repetir, meu bem
É se perder nesse mar por aí
Mas você quer brincar, quer fingir
Pode ir, pode ir e depois chorar

Lyra com
Aloysio de Oliveira
e Vinicius,
exibe uma melodia
sob o olhar
deliciado de Nara Leão

Manuscrito original
de "Gente do morro"

Carlinhos e Baden:
intercâmbio de parcerias

Com a mulher Nelita:
Lyra como anjo da guarda
de uma paixão

Os parceiros ao lado
de Geraldo Vandré

Os parceiros exibem sua arte
a Paulo Autran, Ciro Monteiro e Diogo Pacheco

VINICIUS
E
LYRA

Balanço do Tom

Amigo, olhe
Morou no som?
Balanço só lhe
Parece bom
Se der descanso
Olhe o balanço do Tom

O som é manso
Morou no som?
Quem tem balanço
Mesmo que é bom?
Amigo, é manso
Olhe o balanço do Tom

Gente que bate
Gente que briga
Não sabe como fazer paz é bom
Olhe o Tonzinho
Só faz carinho no som

Balanço bole
Balanço é dom
Amigo, olhe
Que lindo som!
Amigo, é mole
É o pianinho do Tom

Broto maroto

Olha que graça de moça
Vê que balanço ela tem
E aqui, que ninguém nos ouça,
Se eu insistir ela vem,
Se não me engano esse broto
Quer se mudar numa flor,
Isso é um negócio maroto
Pronto requer muito amor.

Embora eu lhe tenha carinho
E ela só cuide de mim
Eu já tenho muito brotinho
Plantado no meu jardim,
Por isso é que eu fico cabreiro
É muito brotinho demais
Pra um brasileiro

Broto triste

Menininha bonita, cheia de mania
Que faz tanta fita e se acha a maior
E diz que não topa quem lê poesia
Que tudo na Europa é muito
Mas muito melhor

Menininha, cabeça de vento
Sem um pensamento, senão namorar
Cuidado menina, namora direito
Senão não dá jeito
Não está nada fácil casar

Seu biquíni tão "biquinininho"
Não dá chance, pois quem quer
Não tem mais nada para achar
Menininha, eu te juro
Você me dá pena
Você tão pequena querendo voar
Menininha, que coisa mais triste
Se você pensa que existe
Vai ter muito o que pensar

Menininha, vem cá — pra quê?
Menininha, olhe lá — você?

Canção do amor que chegou

Eu não sei, não sei dizer
Mas de repente essa alegria em mim
Alegria de viver
Que alegria de viver
E de ver tanta luz, tanto azul!
Quem jamais poderia supor
Que de um mundo que era tão triste
                    e sem cor
Brotaria essa flor inocente
Chegaria esse amor de repente
E o que era somente um vazio sem
                    fim
Se encheria de cores assim

Coração, põe-te a cantar
Canta o poema da primavera em flor
É o amor, o amor chegou
Chegou enfim

Cartão de visita

Quem quiser morar em mim
Tem que morar no que o meu samba
                                    diz
Tem que nada ter de seu
Mas tem que ser o rei do seu país
Tem que ser uma vidinha folgada
Mas senhor do seu nariz
Tem que ser um ''não faz nada''
             mas saber fazer alguém feliz

Tem que viver devagarinho
Pra poder ver a vida passar
Tem que ter um pouco de carinho
                          para dar
Precisa, enfim, saber gastar e ao
               receber uma esmolinha
Dar de troco o céu e o mar
Tem que ser um louco
Mas um louco para amar

Vai ter que ter tudo isso
Tudo isso pra contar
Vai ter que ter tudo isso
Tudo isso pra contar

Tem que bater muita calçada só
           cantando o que o povo pedir
E só vendo a moçada praticando pra
                              faquir
Precisa, enfim, filosofar
Que ser alguém é não ser nada e
           não ser nada é ser alguém
Tem que bater samba e bater samba
                       muito bem

Vai ter que ter tudo isso
Tudo isso e o céu também
Vai ter que ter tudo isso
Tudo isso e o céu também

Coisa mais linda

Coisa mais bonita é você, assim
Justinho você, eu juro
Eu não sei por que você
Você é mais bonita que a flor
Quem dera a primavera da flor
Tivesse todo esse aroma de beleza
Que é o amor
Perfumando a natureza numa forma
                          de mulher

Porque tão linda assim
Não existe a flor
Nem mesmo a cor não existe
E o amor
Nem mesmo o amor existe

E eu fico um pouco triste
Um pouco sem saber
Se é tão lindo o amor
Que eu tenho por você

Gente do morro

Gente que nasce no morro
Só desce do morro
Quando em seu coração morreu
A paixão mais linda
Quando a ilusão de vencer
Faz até esquecer
Do chão onde nasceu a dor
De esperar a vinda de um grande
                              amor

Quem desceu para a cidade nessa
                             ilusão
Não vai ter felicidade, não vai ter,
                              não
Porque quando olhar para o morro
Implorando socorro, a ingratidão
Vai deixar o seu coração
Chorando e pedindo perdão

Hino da UNE

União Nacional dos Estudantes
Mocidade brasileira
Nosso hino é nossa bandeira

De pé a jovem guarda
A classe estudantil
Sempre na vanguarda
Trabalha pelo Brasil

A nossa mensagem de coragem
É que traz um canto de esperança
Num Brasil em paz

A UNE reúne futuro e tradição
A UNE, a UNE, a UNE é união
A UNE, a UNE, a UNE somos nós
A UNE, a UNE, a UNE é nossa voz

Lamento de um homem só

Eu vim de muito longe
Eu vim de muita dor
'travessei o mundo
Atrás de um amor

Mas voltei tão sozinho
Mas sozinho não tem
Quem me dá carinho
Tem que ser meu bem

Eu vim de muito longe
Eu vim de muita dor
'travessei o mundo
Atrás de um amor

Eu sou um cabra valente
Eu sou um cabra pescador
Eu sou bom de rede
Eu sou bom de amor

Eu vim de muito longe
Eu vim de muita dor
'travessei o mundo
Atrás de um amor

Mas não é que eu me queixe
Eu não tenho ninguém
Nem pra dar meu peixe
Nem pra dar meu bem

Marcha de
Quarta-feira de Cinzas

Acabou nosso carnaval
Ninguém ouve cantar canções
Ninguém passa mais brincando feliz
E nos corações
Saudades e cinzas foi o que restou

Pelas ruas o que se vê
É uma gente que nem se vê
Que nem se sorri
Se beija e se abraça
E sai caminhando
Dançando e cantando cantigas de
                                    amor

E no entanto é preciso cantar
Mais que nunca é preciso cantar
É preciso cantar e alegrar a cidade

A tristeza que a gente tem
Qualquer dia vai se acabar
Todos vão sorrir
Voltou a esperança
É o povo que dança
Contente da vida, feliz a cantar
Porque são tantas coisas azuis
E há tão grandes promessas de luz
Tanto amor para amar de que a
                           gente nem sabe

Quem me dera viver pra ver
E brincar outros carnavais
Com a beleza dos velhos carnavais
Que marchas tão lindas
E o povo cantando seu canto de paz
Seu canto de paz

Maria Moita

Nasci lá na Bahia
De mucama com feitor
Meu pai dormia em cama
Minha mãe no pisador

Meu pai só dizia assim:
Venha cá!
Minha mãe dizia: sim
Sem falar
Mulher que fala muito

Perde logo o seu amor
Deus fez primeiro o homem
A mulher nasceu depois
Por isso é que a mulher
Trabalha pelos dois
Homem acaba de chegar
Tá com fome
A mulher tem que olhar
Pelo homem
E é deitada, em pé
Mulher tem é que trabalhar

O rico acorda tarde
Já começa a rezingar
O pobre acorda cedo
Já começa a trabalhar
Vou pedir pro meu babalorixá
Pra fazer uma oração pra Xangô
Pra pôr pra trabalhar
Gente que nunca trabalhou

Minha desventura

Ah, doce sentimento lindo e
                              desesperador
Ah, meu tormento infinito que me
                         vais matar de dor
Onde estão teus olhos
Cheios de ternura
Tua face pura
Cheia de esperança
Minha desventura é ter perdido teu
                                      amor

Ah, se eu pudesse nunca ter
                      magoado teu amor
Teu amor tão mais que o meu
Teu amor tão só pra mim
Meu amor tem dó de mim
Minh'alma te jura
Minha desventura é ter perdido o
                                 teu amor

Ah, doloroso instante de adeus e de
                                    dor
Oh, espera sem piedade
Amor dilacerante
Mata-me também de amor
Ah, se ela não voltar
Eu sei que vou morrer de amor

Minha namorada

Se você quer ser minha namorada
Ah, que linda namorada
Você poderia ser
Se quiser ser somente minha
Exatamente essa coisinha
Essa coisa toda minha
Que ninguém mais pode ser

Você tem que me fazer um
                    juramento
De só ter um pensamento
Ser só minha até morrer
E também de não perder esse
                    jeitinho
De falar devagarinho
Essas histórias de você
E de repente me fazer muito carinho
E chorar bem de mansinho
Sem ninguém saber por quê

Porém, se mais do que minha
                    namorada
Você quer ser minha amada
Minha amada, mas amada pra valer
Aquela amada pelo amor
                    predestinada
Sem a qual a vida é nada
Sem a qual se quer morrer

Você tem que vir comigo em meu
                    caminho
E talvez o meu caminho seja triste
                    pra você
Os seus olhos têm que ser só dos
                    meus olhos
Os seus braços o meu ninho
No silêncio de depois
E você tem que ser a estrela
                    derradeira
Minha amiga e companheira
No infinito de nós dois

Nada como ter um amor

Nada como ter carinho
Nada como estar pertinho
Ao se enternecer
Bem baixinho assim dizer
Só hei de amar você

Nada como viver juntos
Sempre assim querer e muito
Nada como ter
Alegria de viver
E ver o sol aparecer
No sempre novo resplendor
E não ter nada como ter amor

Parece que ela vai de samba

Até parece que ela vai de samba
Quando ela sai correndo para me
                    abraçar
Parece que ela vai de samba
Que coisa mais espetacular!
Ela remexe para tanto lado
Que a vista do coitado chega a
                    confundir
O seu balanço ainda não foi tocado
É claro que é nele que eu vou ir

Um balanço como esse que ela tem
Já não se faz
Quando vem o descanso
A gente tem que pedir mais

Ela é um graça como não existe
Se acaso ela se zanga quando eu
                    dou pra trás
Na base do carinho triste
Ela não me resiste e pede paz, mas
Ela é mais ela quando vai de samba
Quando ela faz os quatro pontos
                    cardeais
Mas a verdade é que eu gamei por
                    ambas
Alegre ou triste ela é demais!

Até parece que ela vai de samba
Até parece que ela vai de samba
Parece que ela vai de samba
Ela é muito mais que por demais!

Pau-de-arara.

Cantado

Eu vinha cansado da fome que tava,
da fome que eu tinha
Eu não tinha nada, que fome que eu
tinha
Que seca danada no meu Ceará
Eu peguei e juntei um restinho de
coisa que eu tinha
Duas calça velha, uma violinha
E num pau-de-arara toquei para cá
E de noite ficava na praia de
Copacabana
Zanzando na praia de Copacabana
Dançando o xaxado pras moças oiá
Virgem Santa, que a fome era tanta
que nem voz eu tinha
Meu Deus, tanta moça... que fome
que eu tinha
Mais fome que eu tinha no meu
Ceará

Falado

Foi aí que eu resolvi comê gilete.
Tinha um compadre meu lá de
Quixeramubim que ganhou um
dinheirão comendo gilete na praia de
Copacabana. De dia ele ia de casa
em casa pedindo gilete véia, e de
noite ele comia aquilo tudinho pro
pessoal vê. Eu não sei não, mas
acho que ele comeu tanto, que
quando eu cheguei lá na praia
aquele pessoá já tava até com
indigestão de tanto vê o camarada
comê gilete. Uma vez, eu tava com
tanta fome que falei assim prum
moço que ia passando: "Decente!
Voismecê deixa eu comê uma
giletezinha pra voismecê vê?" "Sai
pra lá, pau-de-arara. Tu não te
manca, não?" "Oh, distinto! Só
uma, que eu não comi nadinha
ainda hoje." "Tu enche, hein, pau-
de-arara!" Aquilo me deixou tão
aperriado, que se não fosse o amor
que eu tinha na minha violinha, eu
tinha arrebentado ela na cabeça
daquele pai-d'égua.

Cantado

Puxa vida, não tinha uma vida pior
do que a minha
Que vida danada, que fome que eu
tinha
Zanzando na praia, pra lá e pra cá
Quando eu via toda aquela gente no
come-que-come
Eu juro que tinha saudade da fome
Da fome que eu tinha no meu Ceará
E daí eu pegava e cantava e dançava
o xaxado
E só conseguia porque no xaxado
A gente só pode mesmo se arrastar
Virgem Santa, que a fome era tanta
que até parecia
Que mesmo xaxando meu corpo
subia
Igual se tivesse querendo voar

Falado

Às vezes a fome era tanta que volta
e meia a gente arrumava uma
briguinha pra ir comê uma bóia no
xadrez. Eta quentinho bom na
barriga... Mas, com perdão da
palavra, a gente devolvia tudo
depois, que a bóia já vinha
estragada. Mas, enquanto ela tava ali
dentro da barriga... Quietinha... Que
felicidade! Não... Mas agora as
coisas tão meiorando, sabe? Tem
uma senhora muito bondosa, lá no
Leblon, que gosta muito de vê eu
comê caco de vrido. Isso é que é
bondade da boa. Com isso, já juntei
assim uns quinhento mil réis.
Quando tivé mais um pouquinho, eu
vou-se embora. Volto pro meu
Ceará.

Cantado

Vou-se embora pro meu Ceará
porque lá tenho um nome
E aqui não sou nada, sou só
Zé-com-fome
Sou só pau-de-arara, nem sei mais cantar
Vou picar minha mula, vou antes
que tudo rebente
Porque tô achando que o tempo tá
quente
Pior do que anda não pode ficá.

Pobre menina rica

Eu acho que quem me vê crê
Que eu sou feliz
Feliz só porque
Tenho tudo quanto existe
Pra não ser infeliz

Pobre menina rica, tão rica
Que triste você fica se vê
Um passarinho em liberdade
Indo e vindo à vontade na tarde

Você tem mais do que eu
Passarinho, do que a menina
Que é tão rica e nada tem de seu

Pode ir

Pode ir
Pode fazer o que melhor entender
Porque, amor, cada um sabe de si
Mas se você quiser brincar com o
                              nosso amor
Não vem, que alguém
                        provavelmente
Vai amargurar a grande dor
De ver alguém também querer partir
Porque partir é repartir, meu bem
É se perder nesse mar por aí
Mas você quer brincar, quer fingir
Pode ir, pode ir e depois chorar

Primavera

O meu amor sozinho
É assim como um jardim sem flor
Só queria poder ir dizer a ela
Como é triste se sentir saudade
É que eu gosto tanto dela
Que é capaz dela gostar de mim
E acontece que eu estou mais longe
                                    dela
Que da estrela a reluzir na tarde
Estrela, eu lhe diria
Desce à terra, o amor existe
E a poesia só espera ver
Nascer a primavera
Para não morrer

Não há amor sozinho
É juntinho que ele fica bom
Eu queria dar-lhe todo o meu
                              carinho
Eu queria ter felicidade
É que o meu amor é tanto
Um encanto que não tem mais fim
E no entanto ele nem sabe que isso
                                  existe
É tão triste se sentir saudade
Amor, eu lhe direi
Amor que eu tanto procurei
Ah, quem me dera eu pudesse ser
A tua primavera e depois morrer

A primeira namorada

Eu gostaria de saber contar
Uma pequena linda história
Minha memória até que é ruim
Mas dessa eu nunca me esqueci
Nem nunca ouvi tão linda assim

Havia um banco e um jardim
Que era puro jasmim
E um luar transparente
Eu te beijava e sofria
E a gente morria
Uma morte sem fim

Depois sumiu o jardim
E você ficou outra
E eu fiquei sem nada
Até que, amor, te encontrei
E de novo beijei
Tua face adorada
E vi que o amor é você
Porque havia em você
A primeira namorada

Sabe você

Você é muito mais que eu sou
Está bem mais rico do que eu estou
Mas o que eu sei você não sabe
E antes que o seu poder acabe
Eu vou mostrar como e por quê
Eu sei, eu sei mais que você

Sabe você o que é o amor?
Não sabe, eu sei
Sabe o que é um trovador?
Não sabe, eu sei
Sabe andar de madrugada
Tendo a amada pela mão?
Sabe gostar? Qual sabe nada
Sabe? Não
Você sabe o que é uma flor?
Não sabe, eu sei
Você já chorou de dor?
Pois eu chorei
Já chorei de mal de amor
Já chorei de compaixão
Quanto a você, meu camarada
Qual o que, não sabe, não

E é por isso que eu lhe digo
E com razão
Que mais vale ser mendigo
Que ladrão
Sei que um dia há de chegar
Isso seja como for
Em que você pra mendigar
Só mesmo amor
Você pode ser ladrão
Quanto quiser
Mas não rouba o coração
De uma mulher
Você não tem alegria
Nunca fez uma canção
Por isso a minha poesia
Ha! Ha! Você não rouba, não

Samba do carioca

Vamos, carioca
Sai do teu sono devagar
O dia já vem vindo aí
O sol já vai raiar
São Jorge, teu padrinho
Te dê cana pra tomar
Xangô, teu pai, te dê
Muitas mulheres para amar
Vai o teu caminho
É tanto carinho para dar
Cuidando do teu benzinho
Que também vai te cuidar
Mas sempre morandinho
Em quem não tem com quem morar
Na base do sozinho não dá pé
Nunca vai dar

Vamos, minha gente
É hora da gente trabalhar
O dia já vem vindo aí
O sol já vai raiar
E a vida está contente
De poder continuar
E o tempo vai passando
Sem vontade de passar
Ê, vida tão boa
Só coisa boa pra pensar
Sem ter que pagar nada
Céu e terra, sol e mar
E ainda ter mulher
De ter o samba pra cantar
O samba que é o balanço
Da mulher que sabe amar

Saudade que dá

Quando a noite vem descendo
E a lua aparecendo
Diz baixinho uma oração
Não há coisa mais bonita
Que o luar do meu sertão

Terra seca mais danada
Não dá nada, dá saudade
Saudade, saudade que dá
Não dá nada, dá vontade
Vontade de voltar pra lá

Vou mandar rezar um terço
Para ver se de Deus mereço
Uma última bênção
E morrer junto ao meu berço
No luar do meu sertão

Também quem mandou

Já não sei mais viver sem ela
Mas também quem mandou
Quando estou longe dela
É uma dor, é uma dor
Que saudade...

Sim
Eu já estou achando
Que esta saudade assim
Só pode ser amor

Eu queria brincar de amor com ela
Mas também quem mandou
Também quem mandou...

Valsa dueto

Onde meu amor escuta a voz
Que vem da solidão
Tudo silenciou
E a noite em nós
É quente de paixão

Vem, a noite é linda
E eu quero ver no teu olhar
Nascer a estrela da manhã
No céu do amor

Vem, vamos olhar
O grande céu do adeus
Nesse luar cheio de dor
Cheio de paz
E quando tu não quiseres mais
Amor, vem aos braços meus

Você e eu

Podem me chamar
E me pedir e me rogar
E podem mesmo falar mal
Ficar de mal que não faz mal
Podem preparar
Milhões de festas ao luar
Que eu não vou ir
Melhor nem pedir
Que eu não vou ir, não quero ir

E também podem me obrigar
E até sorrir e até chorar
E podem mesmo imaginar
O que melhor lhes parecer

Podem espalhar
Que eu estou cansado de viver
E que é uma pena
Para quem me conheceu
Eu sou mais você e eu

— 4 —

TOQUINHO
OU
O RESGATE

Há momentos em que um homem, tendo ganho aparentemente tudo, só se satisfaz quando começa a perder. Por isso, o último e mais delicado poema de Vinicius de Moraes, que se estendeu ao longo de seus dez últimos anos de vida, foi o esforço arrebatado para se despir do papel de Vinicius. ''Sinto-me como uma espécie de paizão, uma espécie de guru'', constatou o poeta aos 59 anos. ''Não é isso o que quero.'' Foi para deixar de ser Vinicius de Moraes, ao menos aquele que todos conheciam, para esgotar a si mesmo com um círio que se consome até o fim, que ele se lançou numa maratona interminável de shows e viagens. Para deixar de ser guru, extremo paradoxo, o poeta foi buscar um parceiro trinta anos mais novo. No encontro com seu último companheiro, o violonista e compositor Toquinho, um rapaz de 23 anos, vigorou desde o princípio uma fome convulsa de despojamento e nitidez. A busca de algo como uma deseducação, um resgate de pureza original, em que o sujeito se despe de todos os ornamentos intelectuais, de todo projeto enganoso de identidade, para — como se fosse possível escapar da espiral do tempo — se comprometer apenas com a faísca do presente. Uma espécie de salvamento. Não foi por acaso que, nesse encontro, está a sombra do poeta italiano Giuseppe Ungaretti, um homem que desprezava a tradição e colocava a simplicidade acima de toda arrogância estética. Agindo com a frieza de uma parteira, que se oferece como instrumento sem pedir explicações, Ungaretti apareceu na vida de Vinicius para desencadear, com sua imagem de solitário, um ato de libertação espiritual.

Em 1968, Vinicius acabava de gravar com Giuseppe Ungaretti e o cantor italiano Sérgio Endrigo um disco que era uma celebração da pureza. Faltava, porém, o alinhavo de um instrumento que amaciasse a aspereza inevitável das palavras. Surgiu o nome de Toquinho, que foi convocado para um teste. Quando ouviu o resultado desse exercício, Vinicius quis saber: ''Quem é esse cara?''. E ouviu do produtor Sérgio Bardotti: ''É o cara que o Chico levou''. Toquinho chegara à Itália pelas mãos de Chico Buarque de Hollanda, seu amigo desde a adolescência. Foi nessa condição de ''amigo do Chico'' que ele, muitos anos antes, descobriu Vinicius a distância em saraus promovidos pelo historiador Sérgio Buarque de Hollanda.

Tempos depois, Vinicius procurava alguém para acompanhá-lo em atolada agenda de shows. O poeta, a essa altura casado com a baiana Gessy Gesse — com quem se unira em um ritual cigano e que o vestira com túnica, boné e medalhão —, iniciava uma fase difícil de rompimento com a cultura oficial. Vinicius, mais que se transfigurar, se desfigurava — e era esse ''desaparecimento'' do artista na imagem do homem, espécie de descriação, que o movia. O país esmorecia sob os efeitos maléficos do ato institucional nº 5 e toda uma geração esgotada de intelectuais tomava a via perigosa, mas nem por isso menos fértil, do desbunde. Todos queriam cair fora, mas poucos sabiam em que direção. Vinicius sabia. Quando teve que escolher um parceiro para a maratona de shows com que pretendia exorcizar a depressão nacional, Vinicius buscou alguém contaminado pelo mesmo espírito de pequena vingança — ato em que se vingar era saltar fora da euforia. O Brasil se tornava grande demais e Vinicius queria voltar a ser pequeno. Um amigo lembrou, então, do jovem e pouco conhecido Toquinho. Vinicius, sempre alvoroçado e inconstante, não ligava o nome à pessoa. As recordações da temporada italiana se reduziam ao magnetismo de Ungaretti — que ocupava todos os espaços. Mas era esse esquecimento que o atraía no rapaz.

No Brasil Grande, o poeta, com seu romantismo fora de época e sua religião da paixão, parecia não agradar mais. A crítica preferia vê-lo como um artista decadente, extraviado em obscuros circuitos universitários onde jovens cabeludos mantinham em precária encubadeira o que restava do espírito esquerdista. Aquele senhor desbundado, com o olhar sempre voltado para trás e o coração preso a miudezas, não combinava com um país que tinha os olhos lançados obsessivamente no futuro (como se o mundo tivesse começado outra vez) e se julgava maior, muito maior, do que era. Vinicius estava fora do Itamarati, cassado e aposentado pela memória nacional, mas o que para muitos parecia uma derrota, para ele era a própria liberdade. Que ninguém pense num poeta amargo, guiado pela avareza do ressentimento. Sem as obrigações do Grande Artista e rejuvenescido pelo prazer de se fazer insignificante, ele encontrou em Toquinho tudo o que poderia precisar. Numa palavra, um cúmplice perfeito. Vinicius e Toquinho se tornaram sócios numa recusa — a da falsa grandeza — e numa afirmação — a do presente perpétuo, sem promessas e sem glórias, mas também sem exigências e sem rituais de salvação, onde tudo o que importa é a alegria.

Houve entre os dois um grande negócio, uma daquelas transações perfeitas em que as duas partes saem ganhando e ninguém perde nada. Vinicius deu a Toquinho uma espécie de aval. Elevando-o abruptamente a um patamar freqüentado apenas por gigantes como Tom Jobim, Baden Powell e Carlos Lyra, ele obrigou a crítica e o público a ouvi-lo, e a gostar dele. Na contramão, o compositor — que num primeiro momento parecia nada ter a dar — entrou com a parte do leão: a vitalidade, que Vinicius tinha medo de perder. Só a estupidez das evidências pode levar à conclusão de que, então, Vinicius se fez pai de Toquinho. A favor dessa versão, apenas, a enorme diferença de idade entre os dois. Na verdade, se houve adoção, as coisas se passaram bem ao contrário. Foi, de algum modo, Toquinho quem adotou Vinicius, se é que se pode pensar que, numa parceria musical, como nos livros de biologia, um lado sempre toma o papel de regente. Toquinho, então, foi o pai desse outro Vinicius em processo de desencarnação. Estranho pai, mais desorientador que orientador, em todo caso sempre encarregado de defrontar o poeta com a crueza do mundo real.

Vinicius, como todo poeta hipnotizado pelos sentimentos, não era um especialista na demarcação dessa fronteira entre o que existe e o que não existe. Como todo poeta que não deseja agir como um gerente autorizado das palavras, ele flutuava sobre a vida real, como um anjo gordinho. Houve aquela manhã em que Toquinho, hospedado no apartamento do poeta, deparou com um homem amuado e mal dormido. "Bom dia, Vinicius", ainda tentou. "Bom dia", resmungou o outro com irritação. Toquinho tentou se concentrar na leitura do jornal, mas não resistiu: "Vinicius, você acordou com algum problema?". Ouviu, então, surpreso: "Olha, Toquinho, vou te dizer uma coisa: se algum dia você me trair, eu te quebro a mão". E, com a crueza de um açougueiro, especificou: "Com um martelo". Toquinho sentiu o sangue subir: "Você está doido, Vinicius?". E o poeta, expondo por fim sua ferida: "Essa noite eu sonhei que você me traiu". Só muitas horas depois, cedendo aos argumentos do parceiro de que sonhos não pertencem à vida real, Vinicius decidiu perdoar Toquinho pelo que ele não tinha feito.

Tonturas da paixão. "Toda parceria é um casamento", declarou Vinicius muitas vezes, numa síntese de sua concepção do contrato criativo como uma ligação "onde há tudo, menos sexo". Não é preciso ser freudiano para entender o quanto essa ausência absoluta do sexo tornara tudo mais dilacerante e mortal. Os embates que seriam travados, fosse outro o caso, na cama passavam a espocar, disfarçados das formas mais impensáveis, pelo cotidiano. Tudo se tornava mais exagerado e sem sentido — e devia ser assim mesmo. O que um queria do outro não existia, a esse era o motor da parceria. Vale visitar pequenas histórias. Toquinho sempre adorou jogar futebol, enquanto o uísque era o único esporte de Vinicius. Toda vez que o compositor saía com os amigos para uma pelada, o poeta ficava enfezado, doente de mau humor. Certo dia, tentou dividir sua irritação com Gessy: "Olha, minha amiga, essa história de futebol tem alguma coisa de homossexualismo", diagnosticou. Gessy não sabia o que dizer: "Mas, Vinicius...". E o poeta: "Não, tem sim. Eu conheço essa história de homem. Tem homossexualismo sim e eu ando muito preocupado". Travessuras da paixão, que se tornam ainda mais estranhas quando pronunciadas por um homem que, como seu parceiro Toquinho, viveu apenas pelo amor das mulheres. Era o ciúme, mas Vinicius não ousaria dar esse nome. Para ser perfeita, ou ao menos aspirar à perfeição, a parceria devia conter todas as exigências de um pacto infernal, uma vigilância sem pausas, uma vertigem. E os efeitos eram devastadores. Vinicius se deixou consumir, como alguém que se entrega em sacrifício, por cada um de seus parceiros. E nada era sacrificado. Ele queria sempre tudo. Queria que cada um lhe desse o máximo.

Toquinho funcionou como o co-piloto ideal nessa busca do absoluto. Não se deve pensar aqui no poeta metafísico que, na juventude, fez da poesia um dispositivo de purgação. Vinicius não queria mais a plenitude grandiosa, mas a perfeição das pequenas coisas. A banalidade do bem. Um dia, em Itapoã, ele levou o parceiro até o quintal. "Vou te mostrar um negócio que estou aprendendo", anunciou. No fundo do terreno, estavam um gato, um peru, um pavão e um cachorro. Estranho quarteto em que, em vez do medo de ser devorado, vigorava a paz. "Vou te dizer: os homens nunca me ensinaram tanto", prosseguiu. "Eu aprendo muito mais vendo esses bichos juntos". Toquinho, sem saber o que dizer, perguntou: "Mas aprende o quê?". O poeta, olhando alguma coisa que não havia no fundo do quintal — postura de cão de guarda vigiando o sono do infinito —, continuou: "Eu agora só quero dormir quando tenho sono, comer quando tenho fome e beber quando tenho sede". E não disse mais nada, deixando a frase guardada na memória de Toquinho como uma parábola. A parábola do poeta e seus quatro animais.

Era sempre assim. No regime das coisas banais e comuns, nada era banal e comum. Vinicius sabia olhar e fazer ver. Sabia revelar. Toquinho se oferecia como testemunha — como alguém que levamos para confirmar o nascimento de um filho. Juntos, fizeram mais de mil espetáculos, uma média de cem shows por ano. Não paravam. Bastaria acompanhá-los numa dessas viagens para constatar que Toquinho tomava, nessa cadeia de nascimentos e renascimentos, o papel de condutor. Em 1977, numa turnê pela Europa, a dupla se apresentava em Milão. Vinicius já tinha amansado seu desbunde com um novo casamento, dessa vez com a advogada argentina Marta Rodriguez, mas continuava sua viagem sem volta rumo à liberdade. Ao fim do "Samba da bênção", como era de praxe, Vinicius pediu: "E a bênção para vocês, público de Nápoles". A rivalidade regional fez a platéia explodir em vaias. "O que está acontecendo?", perguntou, desorientado, a seu parceiro. "Você errou de cidade, Vinicius." "Mas que cidade?", insistiu. Toquinho foi ficando impaciente: "A cidade em que estamos, Vinicius". O poeta não sintonizava em definitivo com a vaia. "É Nápoles", disse Vinicius, "nós estamos em Nápoles." E, diante do silêncio desolado de Toquinho, quis saber: "Mas o que tem isso a ver com a vaia?". Os apupos duraram longos minutos e Toquinho só conseguiu trazer o poeta de volta à realidade nos bastidores. Mas já era tarde, não havia mais ninguém para aplaudi-los no teatro milanês. Havia o uísque, sempre à beira do piano, ou sob o banquinho do violão, mas não era dele que se tratava. Estava em jogo outra coisa, bem mais complicada que uma deliciosa e ingênua bebedeira: a deseducação de Vinicius. Aquele senhor espavorido de macacão que jurava estar em Nápoles quando estava em Milão era a morte definitiva do diplomata de casaca que ele nunca tinha sido completamente. Contra o cerimonial da vida pensada como uma partida de xadrez, Vinicius propunha a desordem de uma existência lançada no abismo da paixão. Ele queria tudo e só o presente agora servia. Pois o passado já não importava (nem ele, nem suas pegadas que outros carregariam como medalhas) e o futuro, bem, o futuro só valia se fosse dali a pouco — isto é, se estivesse presente também.

Um último casamento, com Gilda Queirós Mattoso, quarenta anos mais nova, apressou ainda mais os passos do poeta. Vinicius chegava aos últimos anos de vida decidido a restaurar cada pedaço de sua integridade, como um joãozinho que vai recolhendo os farelos deixados pela estrada até chegar novamente em casa. Integridade: a palavra tem um peso que Vinicius não aceitaria. Mas havia, sim, uma reconstrução a ser cumprida. Um resgate. Toquinho, nesse ponto, agia mais como testemunha que como agente. Agiu, sim: mas por detonação. Não precisava fazer muito, sua presença bastava. O poeta chegara ao poeta, não havia mais nada entre Vinicius e Vinicius. Um homem, a essa altura, tomado pelo tremor da alegria, pois a vida não precisava mais de provas, precisava ser sorvida como uma iluminação. Havia uma senha, repetida à exaustão nos shows para grandes platéias: Vinicius queria que todos fossem para a "tonga da mironga do kabuletê". O espantoso é que isso não queria dizer absolutamente nada. Cada um podia imaginar o que bem entendesse, fazer o uso que bem desejasse dessa estranha punição — pois na voz de Vinicius havia sempre, nessa hora, a sutil ameaça de uma sentença. Prenúncio de um destino que já não cabia mais a ninguém controlar. Que os críticos ficassem com suas idéias, os diplomatas com seus bons modos e a platéia com sua euforia: Vinicius ficava com a poesia. E ficava muito feliz.

A "tonga" servia como metáfora em tom desbocado para um país perdido na solidão. A palavra de ordem de Vinicius, agora, era uma lei às avessas. Era uma pergunta, que as platéias repetiam, inebriadas, como se fosse uma resposta. A "tonga" era a perdição e a salvação do poeta Vinicius de Moraes. Era, talvez, algum objeto parecido com aquela banheira em que ele ficava mergulhado horas a fio — até que, um dia, lhe serviu como leito de morte —, com o uísque ao lado, inebriante mamadeira. Toquinho tomava seu posto sobre a tampa do vaso sanitário, trono um tanto escatológico para um príncipe, pois Vinicius tinha esse dom de conferir realeza aos que o cercavam. E de chorar pelo que fazia. Certa vez, fim de tarde, Toquinho chegou da praia e encontrou um bilhete sobre a mesa da sala: "Venha a meu quarto. Vinicius". Foi e deparou com o poeta em prantos, tomado por soluços, sem conseguir dizer uma palavra. À sua frente, o manuscrito de uma nova letra: "O filho que eu quero ter". Que não era Toquinho, é bom repetir. "Aqui está o meu filho", disse por fim, como que apresentando uma criança ao pai. Toquinho às vezes relembra Vinicius como um cosmonauta. Um homem-voador, um Ícaro suspenso não por asas, mas por sons. Resta para si, nessa lembrança, o papel de fio-terra. Era assim: Vinicius voava e Toquinho o arrastava para baixo. A parceria era um exercício de repuxar extremos e medir resistências.

Uma ginástica espiritual. Nesse adestramento ao inverso, o vencedor era quem perdesse mais. Vinicius, então, sempre vencia. Ao lado de Toquinho, ele rompeu em definitivo com a imagem do poeta como arauto elitista, a desfiar mensagens e sensações que exigem preparo, certa agonia interior e anos de escola. Vinicius queria ser para qualquer um. Agora a poesia, como um produto banalizado por alguma técnica do tipo "make it yourself", estava ao alcance de todos, ou não estava ao alcance de ninguém. Tudo se tornara muito mais perigoso, mas também muito mais excitante. E Vinicius preferia correr o risco de confundir simplicidade com banalização — e quantas vezes confundiu — a não correr risco algum. Toquinho, com sua música despretensiosa, sua disponibilidade de rapaz, sua fascinação, era o parceiro perfeito.

Vinicius se fazia de bobo — como um bicho, diante de outro mais forte, se faz de morto. E não havia nada de bobo nisso. O poeta queria estar fora dos rituais maldosos do pedantismo, pois não tinha mais imagem alguma a defender. Toquinho sabia disso. Muitas vezes, Vinicius o acompanhou nas peladas de seu time de várzea, os Namorados da Noite. Ficava no alambrado, garrafinha de uísque metida no bolso, goles fartos quando deveria estar acompanhando uma grande jogada. A bebida não o ajudava a ver, mas a se ver. Era seu espelho. Certa vez, após uma pelada, a noite foi longe demais. Os dois amanheceram no centro de São Paulo, arrasados, em busca de um café da manhã. Atravessando as avenidas, entre automóveis guiados por senhores engravatados e bem dispostos, Vinicius parava diante da primeira janela aberta e dizia: "Você ama sua mulher?". Mas quem era aquele doido que fuzilava os motoristas com perguntas imbecis? Ninguém, evidentemente, respondia e o poeta aproveitava o silêncio para uma pregação: "Se não ama, tem que amar. Não deixe de amar tua mulher", dizia. Toquinho ria a distância daquele sermão no deserto urbano.

Vinicius já não usava cuecas. E andava com uma daquelas calças confortáveis mais arriscadas, que se sustentam apenas por um elástico na cintura. Na avenida São Luiz, a dois passos do Hotel Hilton, em meio a mais uma pregação para motoristas sonolentos, o elástico cedeu e as calças desabaram. Caíram de ficar enroscadas em torno dos pés. Vinicius não se abalou. Com a ajuda de Toquinho, ergueu as calças para o devido lugar. Marchou, então, em direção ao hotel, mãos agarradas ao elástico. Diante do porteiro, um lorde engomado diante de um anjo, não perdeu a pose e continuou: "Você ama sua mulher?". Não importa se o porteiro era capaz de amar ou mesmo se tinha alguma mulher para amar. A pergunta não era dirigida a ele, que estava ali só como representante. Vinicius falava para o sexo masculino, essa entidade impessoal. Queria despertar os homens de sua letargia sentimental e esse era, talvez, seu único exagero. Um exagero feroz.

Estava sempre disparando perguntas, que iam esfarelando qualquer veleidade de certeza. Era o poeta do incerto e Toquinho, novamente, era seu camarada ideal, pois sempre soube aceitar as coisas como eram, sem querer tirar ou dar lições. Era, sim, um jovem deslumbrado diante das atenções do poeta — e nunca escondeu isso, nem teria razão para esconder. Orgulhava-se de andar ao lado daquele gênio portátil, que era capaz de formular uma letra de música no saguão de um aeroporto, dentro de um elevador, na travessia de uma avenida ou, mais comumente, numa banheira. Parceiros eternamente em trânsito (o casamento com Gessy, em rito cigano, teria sido uma anunciação desse destino), não desanimaram nem mesmo quando Vinicius caiu gravemente doente. Toquinho aprendeu com Vinicius que a poesia não é um texto arquivado num livro — como garrafas de uísque estocadas numa caixa. A poesia estava em toda parte, inclusive nos tremores de uma enfermidade. Uma vez, em São Paulo, acossado por uma febre, o poeta pediu a Toquinho: ''Me leva para aquele barzinho que nós descobrimos aqui em Paris''. Toquinho juntou toda a frieza que tinha: ''Mas Vinicius, nós estamos em São Paulo''. E, diante do silêncio do outro, prosseguiu para se fazer mais claro: ''A gente teria que ir ao aeroporto e pegar um avião''. O poeta não quis saber: ''Mesmo assim, vamos lá''. Horas depois, comentou: ''Poxa, que idéia a minha te pedir para me levar a Paris''. Toquinho, nessas horas, não sentia apenas a doçura que aparece quando estamos diante de alguém que luta contra a própria desrazão. Sentia medo, mas havia alguma outra coisa além do medo. Nessa inconstância produzida pela doença, agia também o paradoxo que faz de alguém poeta. Havia, outras vezes, uma irreverência infantil, que ia talvez longe demais. Toquinho não podia entender, por exemplo, a fascinação de Vinicius pela figura severa do papa João Paulo II, já que seu trato com a religião se limitava ao candomblé, mesmo assim mais como paixão que como fé. Um dia, intrigado, quis saber por quê. ''É porque ele diz *o pão nosso de cada dia*, e diz de um jeito...'' O maroto Vinicius jogava com a difícil pronúncia do papa poliglota, em que o *ão* do português tomava o som de *au*. Entrava no campo da bandalheira, mas ao invés de fazer piada com ela, a tomava a sério. Só um homem livre como ele teria a alma maleável o bastante para realizar essa maldosa contorção de sentido — e sair inteiro. Sem rir.

Vinicius foi o poeta dos deslizes, um homem que apanhava o sentido pela goela, a faca do entendimento na outra mão. Mas que não ficou atolado no jogo de palavras, armadilha que apanha tantos poetas sem alma. Ele tinha alma e, por via das dúvidas, acreditava nela. Há um de seus versos, um dos preferidos de Toquinho, que diz: ''Por via das dúvidas, livrai-nos Deus de todo o mal''. Pois desacreditava em quase tudo. Tinha fé, às vezes, mas uma fé que não ousava se dar esse nome. Ele a chamava de paixão. No fim da vida, se tornou muito próximo de Mãe Menininha do Gantois. Ela o livrou de muitas angústias, entre elas o medo de avião, temor procedente para quem já sobrevivera a um desastre. A mãe-de-santo o ensinou a não viajar sem antes passar por todo o corpo uma mistura de farinha branca, ervas sagradas e água. Vinicius devia cumprir esse ritual no aeroporto, pois era lá, em algum cesto de lixo, que deveria depois jogar os restos da poção. No aeroporto de Londres, Toquinho presenciou certa vez a perplexidade de um policial que examinava as malas do poeta. "O que vem a ser isso?", quis saber, ao deparar com aquela mistura branca. "Sei o que o senhor está pensando, mas não uso drogas", respondeu Vinicius. "Mas então o que é?" E o poeta, com seu inglês impecável, tratou de explicar: "Faz parte dos rituais de uma religião brasileira, que eu sigo à risca". O policial nem quis ouvir: "O senhor a toma?". Mas teve que ouvir: "Não, eu faço uma bolinha assim, vou ao banheiro e passo pelo corpo antes de entrar no avião". O poeta terminou arrastado para uma sala reservada de averiguações, onde Toquinho não pôde entrar. Ficou mais de meia hora trancado. Por fim, voltou. Atrás dele, veio o policial resmungando: "Farinha... farinha...". Toquinho pôde, então, ver de que modo a poesia podia se sobrepor à objetividade da lei. O poeta era elegantemente deseducado, estava todo inteiro em suas ilusões e o mundo tinha que aturá-lo.

Não havia nada a aprender com Vinicius, e essa era a grande aprendizagem. Toquinho esteve ao lado dele num período da vida decisivo para qualquer homem: dos 23 aos 34 anos. Com Vinicius, a vida se tornava mais simples, e por isso pregava mais peças. Aquilo seduzia. O encontro se estendeu até o último minuto. Vinicius passou sua última noite compondo com Toquinho. Às três da manhã, sentiram fome. Foram à cozinha esquentar um frango. O poeta andava introvertido, passava longos minutos em silêncio e ficou assim, imerso em si mesmo, durante boa parte do jantar. Ao fim, disse: "Vou tomar banho". Toquinho se limitou a responder: "Tá legal, vou dormir". No quarto, pegou o telefone para falar com a mulher. Veio então a última cena de ciúme. Vinicius voltou até a porta do quarto, que estava fechada, e perguntou: "Quem está aí com você?". E, antes que o parceiro pudesse responder, prosseguiu: "Você tem alguma coisa a me dizer?". "Não, Vinicius, estou no telefone falando com minha mulher." O poeta pareceu satisfeito: "Ah, bom". Foi o último diálogo entre os dois. Às sete da manhã, a empregada acordou Toquinho dizendo que Vinicius estava passando mal. Ele o encontrou estirado na banheira, em coma. Chamou uma ambulância e esperou. Quando por fim o socorro chegou, ouviu do médico: "Ele morreu há uns três minutos". Foi o último drible do poeta. A morte veio enviesada, como um gesto tão rápido que parece nem existir. Mesmo depois, Toquinho continuou hospedado por alguns dias na casa de Vinicius. Na primeira noite em que chegou em casa sozinho, alta madrugada, disse para si mesmo antes de abrir a porta: "Meu Deus, se eu encontrar o Vinicius aqui, eu vou falar com ele". Rodou a maçaneta e veio a sensação de que ia vê-lo sentado no sofá. Não viu, e foi para o quarto dormir. Na cama, voltou a resmungar consigo mesmo: ''Meu Deus, o Vinicius morreu ontem, eu continuei aqui e não está acontecendo nada''. Já tinha acontecido tudo. Vinicius carregara consigo toda a poesia e Toquinho, ele também com a alma desmontada por aquela parceria, devia começar tudo de novo. A mesa da vida estava posta e havia um imenso poema, incompreensível, suspenso no ar. Ainda seria Vinicius?

Quem já passou
Por esta vida e não viveu
Pode ser mais, mas sabe menos do que eu
Porque a vida só se dá
Pra quem se deu
Pra quem amou, pra quem chorou
Pra quem sofreu, ai

Quem nunca curtiu uma paixão
Nunca vai ter nada, não

Os parceiros encantam Clara Nunes

TARDE EM ITAPOAN

Um velho calção de banho
E o dia pra' vadiar
Um mar que não tem tamanho
E um arco-íris no ar
Depois, na Praça Caymmi
Sentir preguiça no corpo
E numa esteira de vime
Beber uma água de côco...

É' pra passar uma tarde
Em Itapoan
Ao sol que arde
Em Itapoan
Ouvindo o mar
De Itapoan
Falar de amor
Em Itapoan...

Manuscrito original
de "Tarde em Itapuã"

Ao lado de Gessy Gesse e de Toquinho,
o poeta serve Marília Medalha

Da esquerda para a direita:
Tom, Aloysio de Oliveira, Toquinho,
Edson Frederico, Miucha e Vinicius

Tom, Toquinho e Vinicius:
o piano, o violão ▶
e a poesia fazem o show

Enquanto Toquinho ri, o poeta divaga

VINICIUS
E
TOQUINHO

Acende uma lua no céu

Acende uma lua no céu
E muitas estrelas no olhar
E deixa-te linda e sem véu
Envolta num brando dossel de luar

Semeia de flores teu chão
E abre as janelas aos perfumes do ar
E esquece tua porta entreaberta
Porque na hora certa
Verás teu amor surgir
E entrar e abraçar-te chorando
E amar-te até quando
Tiver que partir

Amigos meus

Amigos meus
Está chegando a hora
Em que a tristeza aproveita pra entrar
E todos nós vamos ter que ir embora
Pra vida lá fora continuar
Tem sempre aquele que toma mais uma
No bar
Tem sempre um outro que vai
                    direitinho
Pro lar
Mas tem também uma sala que está
Vazia
Sem luz, sem amor, sombria
Prontinha pro show voltar
E em novo dia a gente ver
                    novamente
A sala se encher de gente
Pra gente recomeçar

Amor em solidão

Estrela que morreu
Ainda palpita em vão
A tua luz sou eu
Amando em solidão
Noturno mar sem Deus
Tu és na escuridão
Igual aos cantos meus
Uma desolação

Ah, se eu pudesse dizer-te
Que pela graça de ver-te
Já nem me importa ter que fingir
E a cada ruga que nasce
Tento esconder minha face
Na máscara que te faz sorrir
Porque este amor demais
Que nunca vai ter fim
Na morte que me traz
É a vida para mim

Aquarela

(Vinicius de Moraes - Toquinho - Guido
Morra - Maurizio Fabrizio)

Numa folha qualquer eu desenho
um sol amarelo
E com cinco ou seis retas é fácil
fazer um castelo
Corro o lápis em torno da mão e me
dou uma luva
E se faço chover com dois riscos
tenho um guarda-chuva
Se um pinguinho de tinta cai num
pedacinho azul do papel
Num instante imagino uma linda
gaivota a voar no céu

Vai voando, contornando
A imensa curva norte-sul
Vou com ela viajando
Havaí, Pequim ou Istambul
Pinto um barco a vela branco
navegando
É tanto céu e mar num beijo azul
Entre as nuvens vem surgindo
Um lindo avião rosa e grená
Tudo em volta colorindo
Com suas luzes a piscar
Basta imaginar e ele está partindo
Sereno indo
E se a gente quiser
Ele vai pousar

Numa folha qualquer eu desenho
um navio de partida
Com alguns bons amigos, bebendo
de bem com a vida
De uma América a outra consigo
passar num segundo
Giro um simples compasso e num
círculo eu faço o mundo
Um menino caminha e caminhando
chega num muro
E ali logo em frente a esperar pela
gente o futuro está

E o futuro é uma astronave
Que tentamos pilotar
Não tem tempo nem piedade
Nem tem hora de chegar
Sem pedir licença muda nossa vida
E depois convida a rir ou chorar
Nessa estrada não nos cabe
Conhecer ou ver o que virá
O fim dela ninguém sabe
Bem ao certo onde vai dar
Vamos todos numa linda passarela
De uma aquarela que um dia enfim
Descolorirá

Numa folha qualquer eu desenho
um sol amarelo
Que descolorirá
E se faço chover com dois riscos
tenho um guarda-chuva
Que descolorirá
Giro um simples compasso e num
círculo eu faço o mundo
Que descolorirá...

O ar (O vento)

(ver p. 180)

A arca de Noé

(ver p. 199)

Aula de piano

Depois do almoço na sala vazia
A mãe subia pra se recostar
E no passado que a sala escondia
A menininha ficava a esperar
O professor de piano chegava
E começava uma nova lição
E a menininha, tão bonitinha
Enchia a casa feito um clarim
Abria o peito, mandava brasa
E solfejava assim:

Ai, ai, ai
Lá, sol, fá, mi, ré
Tira a mão daí
Dó, dó, ré, dó, si
Aqui não dá pé
Mi, mi, fá, mi, ré
E agora o sol, fá
Pra lição acabar

Diz o refrão quem não chora não
mama
Veio o sucesso e a consagração
Que finalmente deitaram na fama
Tendo atingido a total perfeição
Nunca se viu tanta variedade
A quatro mãos em concertos de amor
Mas na verdade tinham saudade
De quando ele era seu professor
E quando ela, menina e bela
Abria o berrador
Ai, ai, ai,
Lá, sol, fá, mi, ré

O bem-amado

A noite no dia, a vida na morte, o
céu no chão
Pra ele, vingança dizia muito mais
que o perdão
O riso no pranto, a sorte no azar, o
sim no não
Pra ele, o poder valia muito mais
que a razão

Quando o sol da manhã vem nos
dizer
Que o dia que vem pode trazer
O remédio pra nossa ferida, abre o
meu coração
Logo o vento da noite vem lembrar
Que a morte está sempre a esperar
Em um canto qualquer desta vida
Quer queira quer não

O espanto na calma, coragem no
medo
Vai e vem, o corpo sem alma
Ainda na noite o mal e o bem
A noite no dia, a vida na morte, o
céu no chão
Pra ele, vingança dizia muito mais
que o perdão...

A bênção, Bahia

Olorô, Bahia
Nós viemos pedir sua bênção,
                              saravá!
Hepa hê, meu guia
Nós viemos dormir no colinho de
                              Iemanjá!

Nanã Borokô fazer um Bulandê
Efó, caruru e aluá
Pimenta bastante pra fazer sofrer
Bastante mulata para amar

Fazer juntó
Meu guia, hê
Seu guia, hê
Bahia!

Saravá, senhora
Nossa mãe foi-se embora pra sempre
                              do Afojá
A rainha agora
É Oxum, é a mãe Menininha do
                              Gantois

Pedir à mãe Olga do Alakêto, hê
Chamar Inhansã para dançar
Xangô, rei Xangô, Kabueci-elê
Meu pai! Oxalá, hepa babá!

A bênção, mãe
Senhora mãe
Menina mãe
Rainha!

Olorô, Bahia
Nós viemos pedir sua bênção,
                              saravá!
Hepa hê, meu guia
Nós viemos dormir no colinho de
                              Iemanjá!

A Bíblia

A Bíblia já dizia
Pra quem sabe entender
Que há tempo de alegria
Que há tempo de sofrer
Que o tempo só não conta
Pra quem não tem paixão
E que depois do encontro
Sempre tem separação
Que o dia que é da caça
Não é do caçador
E que na alternativa
Viva e viva
E viva o amor

A gente vem da guerra
Pra merecer a paz
Depois faz outra guerra
Porque não pode mais
E deixa andar e deixa andar
Até a guerra terminar
Vamos curtir, vamos cantar
Até a guerra se acabar

Os bichinhos e o homem

Nossa irmã, a mosca
É feia e tosca
Enquanto que o mosquito
É mais bonito
É mais bonito

Nosso irmão, besouro
Que é feito de couro
Mal sabe voar
Mal sabe voar

Nossa irmã, a barata
Bichinha mais chata
É prima da borboleta
Que é uma careta
Que é uma careta

Nosso irmão, o grilo
Que vive dando estrilo
Só pra chatear
Só pra chatear

E o bicho-do-pé
Que gostoso que ele é
Quando dá coceira
Coça que não é brincadeira

E o nosso irmão carrapato
Que é um outro bicho chato
É primo-irmão do bacilo
Que é irmão tranqüilo
Que é irmão tranqüilo

E o homem que pensa tudo saber
Não sabe o jantar que os bichinhos
vão ter
Quando o seu dia chegar
Quando o seu dia chegar

Blues para Emmett

Os assassinos de Emmett
Chegaram sem avisar
Mascando cacos de vidro
Com suas caras de cal
Os assassinos de Emmett
Entraram sem dizer nada
Com seu hálito de couro
E seus olhos de punhal

Os assassinos de Emmett
Quando o viram ajoelhado
Descarregaram-lhe em cima
O fogo de suas armas
Enquanto justificada
A mulher faz um guisado
Para esperar o marido
Que a mando seu foi vingá-la

Calmaria e vendaval

Choro e canto, mato e morro
Corro entre o bem e o mal
Sem querer faço da vida
Calmaria e vendaval
Passarinho e águia brava
Brisa mansa e temporal

Vendo o dia se apagando
Vejo a noite amanhecer
Passo o tempo procurando
Quem me possa responder
Como é que tem quem vive
Sem ninguém por quem morrer

Um caminho a gente encontra
Só questão de procurar
Se uma reta está no céu
Uma curva está no mar
Só não se acha saída
Quando a morte vem levar

Canto e contraponto

Ai, amante, espera um pouco
Deixa que se canse
Este desejo louco
De teu corpo
Deixa que se estanque
O canto rouco
De paixão
Que noite sem fim
Soluça em mim
Dilacerante

Sim, abranda as duras farpas
Nas mortais escarpas
Nos furores nossos
Porque, exausta carne
Nas sangrentas bodas
Só terás meus ossos
Saturnais destroços
Deste amor
Fatal

Canto de Oxalufã

Você que sabe demais
Meu Pai mandou lhe dizer
Que o tempo tudo desfaz
A morte nunca estudou
E a vida não sabe ler

O-ba-bá
Não dá pra ninguém saber
Porque é que há
Quem lê e não sabe amar
Quem ama e não sabe ler

Você que sabe demais
Mas que não sabe viver
Responda se for capaz:
Da vida, quem sabe lá...
Da morte, quem quer saber...

O canto de Oxum

Nhem-nhem-nhem
Nhem-nhem-nhem-xorodô
Nhem-nhem-nhem-xorodô
É o mar, é o mar
Fé-fé xorodô!

Xangô andava em guerra
Vencia toda a terra
Tinha ao seu lado Inhansã pra lhe
                                ajudar
Oxum era rainha
Na mão direita tinha
O seu espelho onde vivia a se mirar

Quando Xangô voltou
O povo celebrou
Teve uma festa que ninguém mais
                                esqueceu
Tão linda Oxum entrou
Que veio o Rei Xangô
E a colocou no trono esquerdo ao
                                lado seu

Inhansã apaixonada
Cravou a sua espada
No lugar vago que era o trono da
                                traição
Chamou um temporal
E no pavor geral
Correu dali gritando a sua maldição!

Caro Raul

Caro Raul, tá tudo bem, tá tudo azul
Que tal a gente se encontrar
Lá por um bar
Na zona sul
Bater um papo e pôr as coisas no
                                    lugar
E, se puder, leve o Carlinhos, o
                                    Levon
Doca e Paulinho com você, pra gente
                                    ver
Quem é o bom numa partida de
                                    sinuca
Pra valer

Depois podemos dar um pulo no
                                    Carreta
E um abraço no Luís
E com o Ampar saborear
Um vinhozinho chegadinho de Paris

Telefonar para o Zequinha e a Regina
Pra saber
Se a saideira que eles vão oferecer
Vai ter
Cartola e Louis Prima até o dia
                                    amanhecer

E, finalmente, quando a gente tiver
Mesmo pra dormir
Numa champanhe bem gelada
                                    sucumbir
Erguendo a taça ao novo dia que há
                                    de vir
Caro Raul

Neste choro pro Raul, Toquinho e eu
mandamos um abraço fraterno pro Zé
Nogueira, pra Joca e pra Luizinha, pro
Elifas que fez a capa deste disco, pro velho e querido Américo e sua Janette, pra
aquela gente maravilhosa do Concorde
lá no Rio, Zé Fernandes, o maître perfeito, o Sérgio de Souza e lá no Antonio's, não muito distante, o Manolinho,
não é, Manolinho lá sempre compare-
cendo a tudo isso, sem falar no Cayon,
que ajudou a gente a armar toda essa
confusão

Telefonar para o Zequinha e a
                                    Regina
Pra saber
Se a saideira que eles vão oferecer
Vai ter
Cartola e Louis Prima até o dia
                                    amanhecer
E, finalmente, quando a gente tiver
Mesmo pra dormir
Numa champanhe bem gelada
                                    sucumbir
Erguendo a taça ao novo dia que há
                                    de vir
Caro Raul

Carta que não foi mandada

Paris, outono de 73
Estou no nosso bar mais uma vez
E escrevo pra dizer
Que é a mesma taça e a mesma luz
Brilhando no champanhe em vários
                                    tons azuis
No espelho em frente eu sou mais
                                    um freguês
Um homem que já foi feliz, talvez
E vejo que em seu rosto correm
                                    lágrimas de dor
Saudades, certamente, de algum
                                    grande amor

Mas ao vê-lo assim tão triste e só
Sou eu que estou chorando
Lágrimas iguais
É, a vida é assim, o tempo passa
E fica relembrando
Canções do amor demais
Sim, será mais um, mais um
                                    qualquer
Que vem de vez em quando
E olha para trás
É, existe sempre uma mulher
Pra se ficar pensando
Nem sei... nem lembro mais

Carta ao Tom

Rua Nascimento e Silva 107
Você ensinando pra Elizete
As canções de *Canção do amor demais*
Lembra que tempo feliz
Ah, que saudade
Ipanema era só felicidade
Era como se o amor doesse em paz

Nossa famosa garota nem sabia
A que ponto a cidade turvaria
Esse Rio de amor que se perdeu
Mesmo a tristeza da gente era mais
                                    bela
E além disso se via da janela
Um cantinho de céu e o Redentor

É, meu amigo, só resta uma certeza
É preciso acabar com essa tristeza
É preciso inventar de novo o amor

O céu é o meu chão

Minha alma é triste
Como o chão deste cerrado
Que se estende desolado
Por mil léguas de silêncio e solidão
E aonde a mulher que tem meu sono
                                    acorrentado
Nem parece dar cuidado
À grande mágoa que me vai no
                                    coração

Amor, meu tormento
Meu céu e meu chão
Aonde só se ouve o vento
Gemer de paixão
Amor, minha mágoa
Que nada desfaz
Este pranto sem água
Este canto sem paz

Ah, se ela enfim
Sentisse nela de repente
Que ela cala mas consente
Que ela sente que eu só quero os
                                    braços seus
E um dia assim como quem faz
Porque acontece num abraço
Ela me desse a esperança
De poder dizer-lhe adeus

Chorando pra Pixinguinha

Meu velho amigo
Chorão primeiro
Tão Rio antigo
Tão brasileiro

Teu companheiro
Chora contigo
Toda a dor de ter vivido
O que não volta nunca mais
E na emoção deste chorinho
                                    carinhoso
Te pede uma bênção de amor e de
                                    paz

Choro chorado
pra Paulinho Nogueira

(ver p. 221)

Como dizia o poeta

Quem já passou
Por esta vida e não viveu
Pode ser mais, mas sabe menos do
que eu
Porque a vida só se dá
Pra quem se deu
Pra quem amou, pra quem chorou
Pra quem sofreu, ai

Quem nunca curtiu uma paixão
Nunca vai ter nada, não

Não há mal pior
Do que a descrença
Mesmo o amor que não compensa
É melhor que a solidão

Abre os teus braços, meu irmão,
deixa cair
Pra que somar se a gente pode
dividir?
Eu francamente já não quero nem
saber
De quem não vai porque tem medo
de sofrer

Ai de quem não rasga o coração
Esse não vai ter perdão

Como é duro trabalhar

Fui caminhando, caminhando
À procura de um lugar
Com uma palhoça, uma morena
E um cantinho pra plantar
Achei a terra, vi a casa
Só faltava capinar
Mas sem o colo da morena
Quem sou eu pra me abusar

E lá vou eu
Paro aqui, paro acolá
E lá vou eu
Como é duro trabalhar

E vou cantando, tiro moda
Faço roda no arraial
Busco a morena do olho em calda
Cheiro de canavial
E bico essa, bico aquela
Vou bicando sem parar
Mas não tem mais moça donzela
Que mereça eu me abusar

E lá vou eu
Paro aqui, paro acolá
E lá vou eu
Como é duro trabalhar

As cores de abril

As cores de abril
Os ares de anil
O mundo se abriu em flor
E pássaros mil
Nas flores de abril
Voando e fazendo amor

O canto gentil
De quem bem te viu
Num pranto desolador
Não chora, me ouviu
Que as cores de abril
Não querem saber de dor

Olha quanta beleza
Tudo é pura visão
E a natureza transforma a vida em
canção
Sou eu, o poeta, quem diz
Vai e canta, meu irmão
Ser feliz é viver morto de paixão

Corujinha

Corujinha, corujinha
Que peninha de você
Fica toda encolhidinha
Sempre olhando não sei quê

O seu canto de repente
Faz a gente estremecer
Corujinha, pobrezinha
Todo mundo que te vê
Diz assim, ah, coitadinha
Que feinha que é você

Quando a noite vem chegando
Chega o teu amanhecer
E se o sol vem despontando
Vais voando te esconder

Hoje em dia andas vaidosa
Orgulhosa como quê
Toda noite tua carinha
Aparece na TV

Corujinha, coitadinha
Que feinha que é você

Cotidiano nº 2

Há dias que eu não sei o que me
                              passa
Eu abro o meu Neruda e apago o sol
Misturo poesia com cachaça
E acabo discutindo futebol

Mas não tem nada, não
Tenho o meu violão...

Acordo de manhã, pão sem
                           manteiga
E muito, muito sangue no jornal
Aí a criançada toda chega
E eu chego a achar Herodes natural

Mas não tem nada, não
Tenho o meu violão...

Depois faço a loteca com a patroa
Quem sabe nosso dia vai chegar
E rio porque rico ri à toa
Também não custa nada imaginar

Mas não tem nada, não
Tenho o meu violão...

Aos sábados em casa tomo um porre
E sonho soluções fenomenais
Mas quando o sono vem e a noite
                                morre
O dia conta histórias sempre iguais

Mas não tem nada, não
Tenho o meu violão...

Às vezes quero crer mas não consigo
É tudo uma total insensatez
Aí pergunto a Deus: Escute, amigo
Se foi pra desfazer, por que é que
                                  fez

Mas não tem nada, não
Tenho o meu violão...

Deixa acontecer

Ah, não tente explicar
Nem se desculpar
Nem tente esconder
Se vem do coração
Não tem jeito, não
Deixa acontecer

O amor é essa força incontida
Desarruma a cama e a vida
Nos fere, maltrata e seduz
É feito uma estrela cadente
Que risca o caminho da gente
Nos enche de força e de luz

Vai debochar da dor
Sem nenhum pudor
Nem medo qualquer
Ah, sendo por amor
Seja como for
E o que Deus quiser

Essa menina

Você não tem mesmo o que fazer,
essa menina
Como é que você já fica toda
feminina
Como é que você olha pra mim
Com essa falta de respeito
Olhe que isso assim não está direito,
essa menina

Como é que você novinha assim
toda se empina
Como é que você quando me vê
Sai requebrando desse jeito
Tudo nesta vida tem a sua hora, viu
Pois você me diga agora onde é que
já se viu
Querer ser colhida assim tão fora de
estação
Olhe, essa menina, suma, vá-se
embora, tenha compaixão

Eu já nem sei mais o que fazer com
essa menina
Sem desmerecer sua beleza tão
divina
Bem, ela vai ver, então vai ser
Tal como manda a natureza, viu

Eu não tenho nada a ver com isso

Eu não tenho nada a ver com isso
Nem sequer nasci em Niterói
Não me chamo João
E não tenho, não
Qualquer vocação pra ser herói
Venho de três raças muito tristes
E eis por que o viver tanto me dói

Deito em minha rede
Mato a minha sede
Quanta mulher nua na *Playboy*!
Porém daqui a uns anos mais
Vão ser cem milhões
Cem milhões só de Pelés
E de violões
Que país mais tão feliz!

Deixa o Brasil andar
As estatísticas revelam:
No ano dois mil
Todo mundo vai ser jovem
No meu Brasil
Reparou como é que eu
Ando sutil demais

Estamos aí

(ver p. 183)

O filho que eu quero ter

É comum a gente sonhar, eu sei
Quando vem o entardecer
Pois eu também dei de sonhar
Um sonho lindo de morrer
Vejo um berço e nele eu me
                debruçar
Com o pranto a me correr
E assim, chorando, acalentar
O filho que eu quero ter

Dorme, meu pequenininho
Dorme que a noite já vem
Teu pai está muito sozinho
De tanto amor que ele tem

De repente o vejo se transformar
Num menino igual a mim
Que vem correndo me beijar
Quando eu chegar lá de onde vim
Um menino sempre a me perguntar
Um porquê que não tem fim
Um filho a quem só queira bem
E a quem só diga que sim

Dorme, menino levado
Dorme que a vida já vem
Teu pai está muito cansado
De tanta dor que ele tem

Quando a vida enfim me quiser
                levar
Pelo tanto que me deu
Sentir-lhe a barba me roçar
No derradeiro beijo seu
E ao sentir também sua mão vedar
Meu olhar dos olhos seus
Ouvir-lhe a voz a me embalar
Num acalanto de adeus

Dorme, meu pai, sem cuidado
Dorme que ao entardecer
Teu filho sonha acordado
Com o filho que ele quer ter

A flor da noite

Na solidão escura
Do velho Pelourinho
Matilde, a louca mansa
Vivia mercando assim:
Olha a flor da noite...
Olha a flor da noite...

Seria a flor da noite
A luz da estrela solitária
A tremular tão pura
Sobre o velho Pelourinho?
Ou o som da voz ausente
Da menina triste
Que mercava o seu triste descaminho:
Olha a flor da noite...
Olha a flor da noite...

Ou seria a flor da noite
A face oculta atrás da aurora
Por quem o homem luta
Desde nunca até agora
A louca aprisionada
Pelos monstros do poente
E que avisa e grita alucinadamente:
Olha a flor da noite...
Olha a flor da noite...

A foca

Quer ver a foca
Ficar feliz?
É pôr uma bola
No seu nariz

Quer ver a foca
Bater palminha?
É dar a ela
Uma sardinha

Quer ver a foca
Comprar uma briga?
É espetar ela
Bem na barriga

Lá vai a foca
Toda arrumada
Dançar no circo
Pra garotada

Lá vai a foca
Subindo a escada
Depois descendo
Desengonçada

Quanto trabalha
A coitadinha
Pra garantir
Sua sardinha

Fogo sobre terra

A gente às vezes tem vontade de ser
Um rio cheio pra poder transbordar
Uma explosão capaz de tudo romper
Um vendaval capaz de tudo arrasar

Mas outras vezes tem vontade de ter
Um canto escuro onde poder se
                                    ocultar
Um labirinto onde poder se perder
E onde poder fazer o tempo parar

Oh, dor de saber que na vida
É melhor de saída
Ser um bom perdedor
Amor, minha fonte perdida
Vem curar a ferida
De mais um sonhador

A galinha-d'angola

Coitada, coitadinha
Da galinha-d'angola
Não anda ultimamente
Regulando da bola

Ela vende confusão
E compra briga
Gosta muito de fofoca
E adora intriga
Fala tanto
Que parece que engoliu uma
                                    matraca
E vive reclamando
Que está fraca

Tou fraca! Tou fraca!
Tou fraca! Tou fraca! Tou fraca!

Coitada, coitadinha
Da galinha-d'angola
Não anda ultimamente
Regulando da bola

Come tanto
Até ter dor de barriga
Ela é uma bagunceira
De uma figa
Quando choca, cocoroca
Come milho e come caca
E vive reclamando
Que está fraca

Tou fraca! Tou fraca! Tou fraca!

O gato

(ver p. 181)

Gilda

Nos abismos do infinito
Uma estrela apareceu
E da terra ouviu-se um grito
Gilda, Gilda
Era eu, maravilhado
Ante a sua aparição
Que aos poucos fui levado
Nos véus de um bailado
Pela imensidão
Aos caprichos do seu rastro
Como um pobre astro
Morto de paixão

Gilda, Gilda
Gilda e eu

E depois nós dois unidos
Como Eurídice e Orfeu
Fomos sendo conduzidos
Gilda e eu
Pelas mágicas esferas
Que se perdem pelo céu
Em demanda de outras eras
Velhas primaveras
Que o tempo esqueceu
Pelo espaço que nos leva
Pela imensa treva
Para as mãos de Deus

Gilda, Gilda
Gilda e eu

O girassol

Sempre que o sol
Pinta de anil
Todo o céu
O girassol
Fica um gentil
Carrossel
Fica um gentil
Carrossel

Roda, roda, roda
Carrossel
Roda, roda, roda
Rodador
Vai rodando, dando mel
Vai rodando, dando flor

Sempre que o sol
Pinta de anil
Todo o céu
O girassol
Fica um gentil
Carrossel
Fica um gentil
Carrossel

Roda, roda, roda
Carrossel
Gira, gira, gira
Girassol
Redondinho como o céu
Marelinho como o sol

Golpe errado

Ouça, malandragem não convence
Uma vez a gente vence
Outra vez bota a perder

Pense, há um ditado muito certo
Tem sempre um que é mais esperto
Tem sempre um que vai sofrer

Lembre que você, mesmo malandro
Tem que ter, de vez em quando
Um tempinho pra viver

Olha que não é nada engraçado
Você dar um golpe errado
E ver nascer quadrado

Um homem chamado Alfredo

O meu vizinho do lado
Se matou de solidão
Abriu o gás, o coitado
O último gás do bujão
Porque ninguém o queria
Ninguém lhe dava atenção
Porque ninguém mais lhe abria
As portas do coração
Levou com ele seu louro
E um gato de estimação

Há tanta gente sozinha
Que a gente mal adivinha
Gente sem vez para amar
Gente sem mão para dar
Gente que basta um olhar
Quase nada
Gente com os olhos no chão
Sempre pedindo perdão
Gente que a gente não vê
Porque é quase nada

Eu sempre o cumprimentava
Porque parecia bom
Um homem por trás dos óculos
Como diria Drummond
Num velho papel de embrulho
Deixou um bilhete seu
Dizendo que se matava
De cansado de viver
Embaixo assinado Alfredo
Mas ninguém sabe de quê

Je suis une guitarre

(ver p. 206)

Mais um adeus

Mais um adeus
Uma separação
Outra vez, solidão
Outra vez, sofrimento
Mais um adeus
Que não pode esperar

O amor é uma agonia
Vem de noite, vai de dia
É uma alegria
E de repente
Uma vontade de chorar

Contraponto

Olha, benzinho, cuidado
Com o seu resfriado
Não pegue sereno
Não tome gelado
O gim é um veneno
Cuidado, benzinho
Não beba demais
Se guarde para mim
A ausência é um sofrimento
E se tiver um momento
Me escreva um carinho
E mande o dinheiro
Pro apartamento
Porque o vencimento
Não é como eu:
Não pode esperar

O amor é uma agonia
Vem de noite, vai de dia
É uma alegria
E de repente
Uma vontade de chorar

Maria vai com as outras

Maria era uma boa moça
Pra turma lá do Gantois
Era a Maria vai com as outras
Maria de coser, Maria de casar
Porém o que ninguém sabia
É que tinha um particular
Além de coser, além de rezar
Também era Maria de pecar

Tumba-ê, caboclo, tumba lá e cá
Tumba-ê, guerreiro, tumba lá e cá
Tumba-ê, meu pai, tumba lá e cá
Não me deixe só, tumba lá e cá

Maria que não foi com as outras
Maria que não foi pro mar
No dia dois de fevereiro
Maria não brincou na festa de
                              Iemanjá
Não foi jogar água-de-cheiro
Nem flores pra sua Orixá
Aí, Iemanjá pegou e levou
O moço de Maria para o mar

Tumba-ê, caboclo, tumba lá e cá
Tumba-ê, guerreiro, tumba lá e cá
Tumba-ê, meu pai, tumba lá e cá
Não me deixe só, tumba lá e cá

Menina das duas tranças

Menina das duas tranças
Deixe o meu filhinho em paz
Que ele ainda é muito criança
Pras coisas que você faz
Baixe seu olhar escuro
Cubra esse peitinho em flor
Que ele ainda não está maduro
Pra essa escuridão de amor

Vá-se embora, t'esconjuro
Deixe o filho meu!
Basta neste negro mundo
O que o pai sofreu

Menina das duas tranças
Deixe o meu paizinho em paz
Que ele não é mais criança
Pras coisas que você faz
Pare de deitar quebranto
Chega dessa mostração
Que meu pai já sofreu tanto
Só viveu desilusão

Vá-se embora, t'esconjuro
Deixe em paz meu pai!
Mais que o seu olhar, escuro
É pra onde ele vai

Menininha

Menininha do meu coração
Eu só quero você
A três palmos do chão
Menininha, não cresça mais não
Fique pequenininha na minha canção
Senhorinha levada
Batendo palminha
Fingindo assustada
Do bicho-papão

Menininha, que graça é você
Uma coisinha assim
Começando a viver
Fique assim, meu amor
Sem crescer
Porque o mundo é ruim, é ruim
E você vai sofrer de repente
Uma desilusão
Porque a vida é somente
Teu bicho-papão

Fique assim, fique assim
Sempre assim
E se lembre de mim
Pelas coisas que eu dei
E também não se esqueça de mim
Quando você souber enfim
De tudo o que eu amei

Meu pai Oxalá

A to-tô abalua-yê
A to-tô ba-ba

Vem das águas de Oxalá
Essa mágoa que me dá
Ela parecia o dia
A romper da escuridão
Linda no seu manto todo branco
Em meio à procissão
E eu que ela nem via
Ao Deus pedia amor e proteção

Meu pai Oxalá é o rei
Venha me valer
O velho Omulu
A to-tô abalua-yê

Que vontade de chorar
No terreiro de Oxalá
Quando eu dei com a minha ingrata
Que era filha de Inhansã
Com a sua espada cor-de-prata
Em meio à multidão
Cercando Xangô num balanceio
Cheio de paixão

Morena flor

Morena flor
Me dê um cheirinho
Cheinho de amor
Depois também
Me dê todo esse denguinho
Que só você tem

Sem você
O que ia ser de mim
Eu ia ficar tão triste
Tudo ia ser tão ruim
Acontece que a Bahia
Fez você todinha assim
Só pra mim

No colo da serra

Uma casinha qualquer
No colo da serra
Um palmo de terra
Pra se plantar
O colo de uma mulher
Uma companheira
Uma brasileira
Pra se amar

Se eu tiver que lutar
Vou é lutar por ela
Se eu tiver que morrer
Vou é morrer por ela
E se eu tiver que ser feliz
Você vai ter que ser feliz também!

Homens vieram da noite
Em gritos de guerra
Feriram a terra
O céu e o mar
Homens ficaram no chão
Mirando as estrelas
Mas sem poder vê-las
No céu brilhar

E o que mais prometer
Aos herdeiros da vida?
E que versos fazer
À mulher concebida?
E quando alguém morrer assim
Vai ser a morte para mim também!

E que versos fazer
À mulher concebida?
Se eu tiver que morrer
Vou morrer pela vida!
Se eu tiver que morrer
Vou morrer pela vida!

Onde anda você

(ver p. 211)

Paiol de pólvora

Estamos trancados no paiol de
pólvora
Paralisados no paiol de pólvora
Olhos vedados no paiol de pólvora
Dentes cerrados no paiol de pólvora

Só tem entrada no paiol de pólvora
Ninguém diz nada no paiol de
pólvora
Ninguém se encara no paiol de
pólvora
Só se enche a cara no paiol de
pólvora

Mulher e homem no paiol de
pólvora
Ninguém tem nome no paiol de
pólvora
O azar é sorte no paiol de pólvora
A vida é morte no paiol de pólvora

São tudo flores no paiol de pólvora
TV a cores no paiol de pólvora
Tomem lugares no paiol de pólvora
Vai pelos ares o paiol de pólvora

Para viver um grande amor

Cantado

Eu não ando só
Só ando em boa companhia
Com meu violão
Minha canção e a poesia

Falado

Para viver um grande amor, preciso
É muita concentração e muito siso
Muita seriedade e pouco riso
Para viver um grande amor
Para viver um grande amor, mister
É ser um homem de uma só mulher
Pois ser de muitas — poxa! — é pra
quem quer
Nem tem nenhum valor
Para viver um grande amor,
primeiro
É preciso sagrar-se cavalheiro
E ser de sua dama por inteiro
Seja lá como for
Há que fazer do corpo uma morada
Onde clausure-se a mulher amada
E portar-se de fora com uma espada
Para viver um grande amor

Cantado

Eu não ando só
Só ando em boa companhia
Com meu violão
Minha canção e a poesia

Falado

Para viver um grande amor direito
Não basta apenas ser um bom
sujeito
É preciso também ter muito peito
Peito de remador
É sempre necessário ter em vista
Um crédito de rosas no florista
Muito mais, muito mais que na
modista!

Para viver um grande amor
Conta ponto saber fazer coisinhas
Ovos mexidos, camarões, sopinhas
Molhos, filés com fritas —
comidinhas
Para depois do amor
E o que há de melhor que ir pra
cozinha
E preparar com amor uma galinha
Com uma rica e gostosa farofinha
Para o seu grande amor?

Cantado

Eu não ando só
Só ando em boa companhia
Com meu violão
Minha canção e a poesia

Falado

Para viver um grande amor, é muito
Muito importante viver sempre junto
E até ser, se possível, um só defunto
Pra não morrer de dor
É preciso um cuidado permanente
Não só com o corpo, mas também
com a mente
Pois qualquer ''baixo'' seu a amada
sente
E esfria um pouco o amor
Há que ser bem cortês sem cortesia
Doce e conciliador sem covardia
Saber ganhar dinheiro com poesia
Não ser um ganhador
Mas tudo isso não adianta nada
Se nesta selva escura e desvairada
Não se souber achar a grande amada
Para viver um grande amor!

Cantado

Eu não ando só
Só ando em boa companhia
Com meu violão
Minha canção e a poesia

O pato
(ver p. 222)

Patota de Ipanema

Não tenho ido ao cinema
E a patota de Ipanema não me
                    interessa mais
Podem dizer que eu já era
E eu só digo: ai, quem me dera
Uma vida em paz
Mas sem aquela rua tão sentimental
Com aquela lua de cartão-postal
Nem um maridinho de família bem
Todo arrumadinho
Puxa vida, mas também
Os caras que andam por aí
Com aquele papo mixo
De sem essa, bicho
Deixa isso pra lá
E o tipo de paquera
Tão sincera que eu vou te contar
Cansei de ir ao Zepelim
De dizer sim a inventores geniais
Da comunicação
Enfim, eu estou achando
Que a realidade sabe mais
Que a imaginação

O peru

(ver p. 222)

O pintinho

(ver p. 207)

Planta baixa

Plante uma boa semente
Numa terra condizente, que a
                    semente dá
Pegue, regue bem a planta
Que nem praga não adianta
Ela vai vingar
Planta é como o sentimento
Tem o seu momento
Tem o seu lugar

Regue bem seu sentimento
Porque rega no momento
Não pode faltar
Gente também é semente
Tem que estar contente
Tem que respirar

Plante uma cidade toda
Ponha gente em seu contorno
E a vida a rodar
Dia-a-dia é corrosivo
E de tudo que está vivo
Se deve cuidar
Planta sem sol e o vento
Dentro do cimento é bom nem
                    pensar

Regue bem seu sentimento
Porque rega no momento
Não pode faltar
Gente também é semente
Tem que estar contente
Tem que respirar

O poeta aprendiz

Ele era um menino
Valente e caprino
Um pequeno infante
Sadio e grimpante
Anos tinha dez
E asas nos pés
Com chumbo e bodoque
Era plic e ploc
O olhar verde gaio
Parecia um raio
Para tangerina
Pião ou menina
Seu corpo moreno
Vivia correndo
Pulava no escuro
Não importa que muro
Saltava de anjo
Melhor que marmanjo
E dava o mergulho
Sem fazer barulho
Em bola de meia
Jogando de meia-direita ou de ponta
Passava da conta
De tanto driblar

Amava era amar
Amava Leonor
Menina de cor
Amava as criadas
Varrendo as escadas
Amava as gurias
Da rua, vadias
Amava suas primas
Com beijos e rimas
Amava suas tias
De peles macias
Amava as artistas
Das cine-revistas
Amava a mulher
A mais não poder
Por isso fazia
Seu grão de poesia
E achava bonita
A palavra escrita
Por isso sofria
De melancolia
Sonhando o poeta
Que quem sabe um dia
Poderia ser

Por que será?

(ver p. 182)

O porquinho

Muito prazer, sou o porquinho
Eu te alimento também
Meu couro bem tostadinho
Quem é que não sabe o sabor que
tem
Se você cresce um pouquinho
O mérito, eu sei
Cabe a mim também

Se quiser, me chame
Te darei salame
E a mortadela
Branca, rosa e bela
Num pãozinho quente
Continuando o assunto
Te darei presunto
E na feijoada
Mesmo requentada
Agrado a toda gente

Sendo um porquinho informado
O meu destino bem sei
Depois de estar bem tostado
Fritinho ou assado
Eu partirei
Com a tia vaca do lado
Vestido de anjinho
Pro céu voarei

Do rabo ao focinho
Sou todo toicinho
Bota malagueta
Em minha costeleta
Numa gordurinha
Que coisa maluca
Minha pururuca
É uma beleza
Minha calabresa
No azeite fritinha

A porta

Eu sou feita de madeira
Madeira, matéria morta
Mas não há coisa no mundo
Mais viva do que uma porta

Eu abro devagarinho
Pra passar o menininho
Eu abro bem com cuidado
Pra passar o namorado
Eu abro bem prazenteira
Pra passar a cozinheira
Eu abro de supetão
Pra passar o capitão

Eu fecho a frente da casa
Fecho a frente do quartel
Fecho tudo no mundo
Só vivo aberta no céu!

Um pouco
mais de consideração

Porque você é tão ruim
Não me diz não nem me diz sim
Sofre demais o meu coração
Pois nunca sabe quando é sim ou
                                    não
Que foi que eu fiz que não se faz
Não tenho paz, não sou feliz
Assim é muita ingratidão
Um pouco mais de consideração

Já que você foi quem me fez contente
Já que você me cativou assim
Você não podia, muito francamente
Entrar a sério nessa história de
                        gostar de mim
Independente de qualquer motivo
Que você tenha pra gostar assim
Já que você foi quem me fez cativo
A obrigação agora é sua de cuidar de
                                    mim

A pulga

Um, dois, três
Quatro, cinco, seis
Com mais um pulinho
Estou na perna do freguês
Um, dois, três
Quatro, cinco, seis
Com mais uma mordidinha
Coitadinho do freguês
Um, dois, três
Quatro, cinco, seis
Tô de barriguinha cheia
Tchau
Good bye
Auf Wiedersehen

Regra três

Tantas você fez
Que ela cansou
Porque você, rapaz
Abusou da regra três
Onde menos vale mais

Da primeira vez
Ela chorou
Mas resolveu ficar
É que os momentos felizes
Tinham deixado raízes
No seu penar
Depois perdeu a esperança
Porque o perdão também cansa
De perdoar

Tem sempre o dia em que a casa cai
Pois vai curtir seu deserto, vai
Mas deixa a lâmpada acesa
Se algum dia a tristeza
Quiser entrar
E uma bebida por perto
Porque você pode estar certo
Que vai chorar

A rosa desfolhada

Tento compor o nosso amor
Dentro da tua ausência
Toda a loucura, todo o martírio
De uma paixão imensa
Teu toca-discos, nosso retrato
Um tempo descuidado

Tudo pisado, tudo partido
Tudo no chão jogado
E em cada canto
Teu desencanto
Tua melancolia
Teu triste vulto desesperado
Ante o que eu te dizia
E logo o espanto e logo o insulto
O amor dilacerado
E logo o pranto ante a agonia
Do fato consumado

Silenciosa
Ficou a rosa
No chão despetalada
Que eu com meus dedos tentei a
                  medo
Reconstruir do nada:
O teu perfume, teus doces pêlos
A tua pele amada
Tudo desfeito, tudo perdido
A rosa desfolhada

Uma rosa em minha mão

Procurei um lugar
Com meu céu e meu mar
Não achei
Procurei o meu par
Só desgosto e pensar, encontrei

Onde anda o meu rei
Que me deixa tão só por aí
A quem tanto busquei
E de tanto que andei me perdi
Quem me dera encontrar
Ter meu céu, ter meu mar
Ter meu chão
Ver meu campo florir
E uma rosa se abrir na minha mão

Samba para Endrigo

Quando eu chego ao Rio
Eu me arrepio
De ver tanta coisa linda
Solta no ar
Eu que vim do frio
Me delicio
A ponto de ter vontade
De não voltar

Cada um na rua
É um rei na sua
Maneira tão popular
Sou tão batuqueiro
Quanto qualquer
Tocador de pandeiro é
Sou tão mandingueiro
Tão brasileiro
Quanto um cidadão qualquer

Mas afinal
Até que eu não sou mau de bola
Mas não sei sambar na escola
Nem sou bom de ginga, não
Mas a questão para mim
É que ser sambista
É mais do que um bom passista
Bem mais do que um folião

Samba do jato

Um galo cantou
Meu sonho acordou
O jogo acabou, calado
E eu madruguei
Chutando pedras pelo chão
Com a solidão do lado

Um cão me seguiu
Um jato partiu
E tudo ficou parado
E eu acabei naquele bar
Onde nós dois
Vivemos nosso passado
Fui beber
Meu "traçado" de paixão e dor
Com o copo a suar
Minha ilusão de amor

Samba de Orly

(ver p. 185)

Samba da rosa

Rosa pra se ver
Pra se admirar
Rosa pra crescer
Rosa pra brotar
Rosa pra viver
Rosa pra se amar
Rosa pra colher
E despetalar

Rosa pra dormir
Rosa pra acordar
Rosa pra sorrir
Rosa pra chorar
Rosa pra partir
Rosa pra ficar
E se ter mais uma rosa mulher
É primavera
É a rosa em botão
Ai, quem me dera
Uma rosa no coração

Samba da volta

Você voltou, meu amor
A alegria que me deu
Quando a porta abriu
Você me olhou
Você sorriu
Ah, você se derreteu
E se atirou
Me envolveu
Me brincou
Conferiu o que era seu

É verdade, eu reconheço
Eu tantas fiz
Mas agora tanto faz
O perdão pediu seu preço
Meu amor
Eu te amo e Deus é mais

São demais os perigos desta vida

São demais os perigos desta vida
Pra quem tem paixão principalmente
Quando uma lua chega de repente
E se deixa no céu, como esquecida
E se ao luar que atua desvairado
Vem se unir uma música qualquer
Aí então é preciso ter cuidado
Porque deve andar perto uma
                            mulher

Deve andar perto uma mulher que é
                            feita
De música, luar e sentimento
E que a vida não quer de tão
                            perfeita
Uma mulher que é como a própria
                            lua:
Tão linda que só espalha sofrimento
Tão cheia de pudor que vive nua

Se o amor quiser voltar

Se o amor quiser voltar
Que terei pra lhe contar
A tristeza das noites perdidas
Do tempo vivido em silêncio
Qualquer olhar lhe vai dizer
Que o adeus me faz morrer
E eu morri tantas vezes na vida
Mas se ele insistir
Mas se ele voltar
Aqui estou sempre a esperar

Se ela quisesse

Se ela tivesse
A coragem de morrer de amor
Se não soubesse
Que a paixão traz sempre muita dor
Se ela me desse
Toda devoção da vida
Num só instante
Sem momento de partida

Pudesse ela me dizer
O que eu preciso ouvir
Que o tempo insiste
Porque existe um tempo que há de
        vir
Se ela quisesse, se tivesse essa
        certeza
De repente, que beleza
Ter a vida assim ao seu dispor
Ela veria, saberia que doçura
Que delícia, que loucura
Como é lindo se morrer de amor

Sei lá... a vida tem sempre razão

Tem dias que eu fico
Pensando na vida
E sinceramente
Não vejo saída
Como é, por exemplo
Que dá pra entender
A gente mal nasce
Começa a morrer
Depois da chegada
Vem sempre a partida
Porque não há nada
Sem separação

Sei lá, sei lá
A vida é uma grande ilusão
Sei lá, sei lá
Só sei que ela está com a razão

A gente nem sabe
Que males se apronta
Fazendo de conta
Fingindo esquecer
Que nada renasce
Antes que se acabe
E o sol que desponta
Tem que anoitecer
De nada adianta
Ficar-se de fora
A hora do sim
É um descuido do não

Sei lá, sei lá
Só sei que é preciso paixão
Sei lá, sei lá
A vida tem sempre razão

Sem medo

Como é que pode, a gente ser
                          menino
Ter sua coragem, traçar seu destino
Sem pular o muro, trepar no
                          coqueiro
Ir no quarto escuro, mãe
Me mete medo, mãe
Me mete medo, mãe
Me mete medo
O bicho te pega, boi da cara preta
Deus te castiga, medo de careta
Boi da cara preta, mãe
Me mete medo, mãe
Me mete medo, mãe
Me mete medo

Mas atravesse o escuro sem medo
Atravesse o escuro sem medo
Atravesse o escuro sem medo
De repente a gente começa a crescer
Quer uma mulher que não pode ser
O pai quer matar, a mãe quer
                          morrer
Não dá pra ganhar, não dá pra
                          perder
Não dá
A mulher se joga do alto do edifício
Porque o mais fácil fica o mais difícil
Fica o mais difícil
Mas atravesse a vida sem medo
Atravesse a vida sem medo
Atravesse a vida sem medo

O perigo existe, faz parte do jogo
Mas não fique triste, que viver é
                          fogo
Veja se resiste, comece de novo
Comece de novo, comece de novo
Ao cruzar a rua você está arriscando
Pode estar na lua, pode estar
                          amando
Passa um caminhão, cruza uma
                          perua
O cara tá na dele, você tá na sua
Você tá na sua, você tá na sua
Mas atravesse a rua sem medo
Atravesse a rua sem medo
Atravesse a rua sem medo

Chega um belo dia de qualquer
                          semana
Alguém bate na porta, é um
                          telegrama
Ela está chamando, é um telegrama
Ela está chamando, pra uns ela vem
                          cedo
Pra outros vem tarde
É que cedo ou tarde, ela vem de
                          repente
Chega pro covarde, chega pro
                          valente
Só tem que ninguém gosta de ir na
                          frente
Gosta de ir na frente
Gosta de ir na frente
Gosta de ir na frente
Mas atravesse a morte sem medo
Atravesse a morte sem medo
Atravesse a morte sem medo

Tarde em Itapuã

Um velho calção de banho
O dia pra vadiar
Um mar que não tem tamanho
E um arco-íris no ar
Depois na praça Caymmi
Sentir preguiça no corpo
E numa esteira de vime
Beber uma água de coco

É bom
Passar uma tarde em Itapuã
Ao sol que arde em Itapuã
Ouvindo o mar de Itapuã
Falar de amor em Itapuã

Enquanto o mar inaugura
Um verde novinho em folha
Argumentar com doçura
Com uma cachaça de rolha
E com o olhar esquecido
No encontro de céu e mar
Bem devagar ir sentindo
A terra toda a rodar

É bom
Passar uma tarde em Itapuã
Ao sol que arde em Itapuã
Ouvindo o mar de Itapuã
Falar de amor em Itapuã

Depois sentir o arrepio
Do vento que a noite traz
E o diz-que-diz-que macio
Que brota dos coqueirais
E nos espaços serenos
Sem ontem nem amanhã
Dormir nos braços morenos
Da lua de Itapuã

É bom
Passar uma tarde em Itapuã
Ao sol que arde em Itapuã
Ouvindo o mar de Itapuã
Falar de amor em Itapuã

Tatamirô

Apanha folha por folha, tatamirô
Apanha maracanã, tatamirô
Eu sou filha de Oxalá, tatamirô
Menininha me apanhou, tatamirô!

Xangô me leva, Oxalá me traz
Xangô me dá guerra, Oxalá me dá
paz

Apanha folha por folha, tatamirô
Apanha maracanã, tatamirô
Eu sou filho de Ossain, tatamirô
Menininha me adotou, tatamirô!

Oxalá de frente, Xangô detrás
Xangô me dá guerra, Oxalá me dá
paz

Apanha folha por folha, tatamirô
Apanha maracanã, tatamirô
Eu sou filho de Ogun, tatamirô
Menininha me ganhou, tatamirô!

Apanha folha por folha, tatamirô
Apanha maracanã, tatamirô
Eu sou filha de Inhansã, tatamirô
Menininha batizou, tatamirô!

Apanha folha por folha, tatamirô
Apanha maracanã, tatamirô
Ela é a mãe Menininha do Gantois
Que Oxum abençoou, tatamirô!

Oxalá me vem, todo o mal me vai
Xangô é meu Rei, Oxalá é meu Pai

A terra prometida

Poder dormir
Poder morar
Poder sair
Poder chegar
Poder viver
Bem devagar
E depois de partir poder voltar
E dizer: este aqui é o meu lugar
E poder assistir ao entardecer
E saber que vai ver o sol raiar
E ter amor e dar amor
E receber amor até não poder mais
E sem querer nenhum poder
Poder viver feliz pra se morrer em
paz

Testamento

Você que só ganha pra juntar
O que é que há, diz pra mim, o que
é que há?
Você vai ver um dia
Em que fria você vai entrar

Por cima uma laje
Embaixo a escuridão
É fogo, irmão! É fogo, irmão!

Falado

Pois é, amigo, como se dizia antigamente, o buraco é mais embaixo...E você com todo o seu baú, vai ficar por lá na mais total solidão, pensando à beça que não levou nada do que juntou: só seu terno de cerimônia. Que fossa, hein, meu chapa, que fossa...

Cantado

Você que não pára pra pensar
Que o tempo é curto e não pára de
passar
Você vai ver um dia
Que remorso, como é bom parar

Ver um sol se pôr
Ou ver um sol raiar
E desligar, e desligar

Falado

Mas você, que esperança... Bolsa, títulos, capital de giro, *public relations* (e tome gravata!), protocolos, comendas, caviar, champanhe (e tome gravata!), o amor sem paixão, o corpo sem alma, o pensamento sem espírito (e tome gravata!) e lá um belo dia, o enfarte; ou, pior ainda, o psiquiatra

Cantado

Você que só faz usufruir
E tem mulher pra usar ou pra exibir
Você vai ver um dia
Em que toca você foi bulir!

A mulher foi feita
Pro amor e pro perdão
Cai nessa não, cai nessa não

Falado

Você, por exemplo, está aí com a boneca do seu lado, linda e chiquérrima, crente que é o amo e senhor do material. É, amigo, mas ela anda longe, perdida num mundo lírico e confuso, cheio de canções, aventuras e magia. E você nem sequer toca a sua alma. É, as mulheres são muito estranhas, muito estranhas

Cantado

Você que não gosta de gostar
Pra não sofrer, não sorrir e não
chorar
Você vai ver um dia
Em que fria você vai entrar!

Por cima uma laje
Embaixo a escuridão
É fogo, irmão! É fogo, irmão!

A tonga da mironga do kabuletê

Eu caio de bossa
Eu sou quem eu sou
Eu saio da fossa
Xingando em nagô

Você que ouve e não fala
Você que olha e não vê
Eu vou lhe dar uma pala
Você vai ter que aprender
A tonga da mironga do kabuletê
A tonga da mironga do kabuletê
A tonga da mironga do kabuletê

Eu caio de bossa
Eu sou quem eu sou
Eu saio da fossa
Xingando em nagô

Você que lê e não sabe
Você que reza e não crê
Você que entra e não cabe
Você vai ter que viver
Na tonga da mironga do kabuletê
Na tonga da mironga do kabuletê
Na tonga da mironga do kabuletê

Você que fuma e não traga
E que não paga pra ver
Vou lhe rogar uma praga
Eu vou é mandar você
Pra tonga da mironga do kabuletê
Pra tonga da mironga do kabuletê

Triste sertão

Juriti é pass'o triste
Canta em muita solidão
Nem sequer sabe que existe
Amigo, mulher e violão
Canta para xique-xique
Cascavel, camaleão
Só responde a siriema
Que grita de chegar a fazer pena
Na velha catinga do sertão

Quéu-quéu chorou
Mata branca em desesperação
Credo cruz, espia que pavor
Caipora mora na escuridão

Não se ouve nem um pio
Cadê Zé, cadê João
Cadê água, cadê rio
É ano de seca no sertão
Lá onde a vida se acaba
Vive só quem tem razão
Vive o bode, vive a cabra
E o maracujá e a cana brava
E o mandacaru e a assombração

Quéu-quéu chorou
Mata branca em desesperação
Credo cruz, espia que pavor
Caipora mora na escuridão

Tudo na mais santa paz

Tranca bem a porta, amor
Fecha a janela e passa a tramela, por
favor
E se não se importa, amor
Defuma a casa em nome de Nosso
Senhor

Acabou a festa, amor
Ainda tem uma cerveja no
congelador
Vamos ao que resta, amor
Dia de festa é véspera de muita dor

E se o fantasma ficar e se o cachorro
latir
E se o silêncio gritar e se o pavor
assumir
E se a mulher não topar e se o
amigo sumir
E se o relógio parar e se amanhã não
surgir

Tudo na mais perfeita ordem
Tudo na mais santa paz

Valsa do bordel

Longas piteiras
Perfumes no ar
Roxas olheiras
Em torno do olhar
Que brincadeira fazer profissão
Da mais antiga e mais sem solução
Discos franceses
Tão sentimentais
Velhos fregueses
Com taras iguais

Ah, quem me dera voltar para trás
Sem sentir mais tanta solidão
E, de repente, entre tanto cliente
Lá chega o gostosão
E, incontinente
Abre conta corrente
Em nosso coração
A gente apanha
Mas sente prazer
Dá o que ganha
E o que se vai fazer
Ele é a paixão, todo resto é saber
Vender um pouco de ilusão

Veja você

Veja você, eu que tanto cuidei da
                                    minha paz
Tenho o peito doendo, sangrando de
                                          amor
Por demais
Na dor eu sei a extensão da loucura
                                    que fiz
Eu que acordo cantando, sem medo
De ser infeliz

Quem te viu, quem te vê hein, rapaz,
Você tinha era manias demais
Mas aí o amor chegou
Desabou a sua paz
Despediu seu desamor pra nunca
                                    mais
Algum dia você vai compreender
A extensão de todo bem que eu lhe
                                    fiz
E você há de dizer: meu amor, eu
                                    sou feliz

Quem te viu e quem te vê, hein,
                                    rapaz

O velho e a flor
(ver p. 181)

A vez do dombe

Primeiro foi a rumba cubana
Depois o mambo veio de lá
Quanta alegria nos deu Havana
Com o chá-chá-chá
Depois chegou a vez do calipso
O rei mestiço de Trinidad
E do merengue cheio de dengue
Dominicana! Dominicana!
E logo o samba pediu passagem
Evoluiu e disse: alto lá!
Olha o que eu trago nesta viagem
E balançou a bossa nova

Mas é agora a hora do dombe
Esse menino cheio de plá
África na América
A rumba, o merengue e o
                        chá-chá-chá
Mambo, samba e dombe
É o dombe que chega na hora H
Pegue, dance o dombe
É o dombe que veio pra ficar
Ritmo candombe
É o dombe que vem da Argentina

— 5 —

OUTROS PARCEIROS
OU
PEQUENAS TRAIÇÕES

Edu Lobo tinha dezoito anos e estava em casa. O telefone toca. Era um amigo de Petrópolis: ''Corre aqui em casa, sobe logo que você não vai se arrepender'', disse. ''Mas por que tanta pressa?'', perguntou Edu. ''Vem, porque o Vinicius está aqui em casa e você vai conhecê-lo.'' Edu chegou a Petrópolis já de noite. Vinicius, como sempre, foi direto: ''Você tem aí uma musiquinha sem letra?''. O rapaz tocou a primeira que lhe veio à cabeça. O poeta foi recitando a letra, até formar ''Só me fez bem'', a primeira composição dos dois parceiros. Edu estava na PUC estudando Direito. Nem podia imaginar que, um ano depois, estaria lançando seu primeiro disco. A contracapa seria assinada por Vinicius de Moraes. Naquela primeira noite, ele desceu a serra com a letra de Vinicius guardada no sapato. ''Era como se eu estivesse carregando um cheque em branco'', descreveu depois. ''Achei que no sapato ninguém ia descobrir.''

Anos depois, já parceiros em ''Arrastão'', maior sucesso da dupla, consagrado por Elis Regina, Vinicius estava viajando e Edu esboçou no violão um tema sem nome. Desde o primeiro momento, a música o fez pensar na figura do Zumbi dos Palmares. Tentou fazer uma letra, qualquer letra, e não conseguiu. Pediu a seu amigo Ruy Guerra que fizesse uma, mas a letra também não saiu. Até que Vinicius volta do exterior. Edu lhe mostra o tema sem dizer nada. O poeta o faz repetir várias vezes e, por fim, anuncia: ''Eu acho que tenho uma idéia aqui'', e puxa uma folha de papel. O compositor vê então ele escrever com letras bem grandes: ''Zambi''. Não escreveu mais nada, só esse título, mas Edu estava gelado. Tinham chegado, por vias diversas, ao mesmo personagem — o que era prova de que alguma coisa trabalhava, à revelia dos dois. Eram parceiros.

Vinicius sempre preferiu acreditar nessas pequenas iluminações, a propostas muito pensadas, cheias de precauções, que às vezes não levam a lugar algum. Roma: Vinicius e Toquinho encerram uma temporada de shows. Chico Buarque, que está morando na cidade, vai levá-los ao aeroporto de

Fiumicino. Os três amigos vão cantando no carro. Chico comanda o improviso. O tema é o aeroporto que lhes serve de destino. Despedem-se. No
avião, Vinicius e Toquinho retomam a deixa lançada por Chico e concluem
o "Samba de Orly". Seria, para ser verdadeiro, o "Samba de Fiumicino",
mas falta musicalidade ao nome do aeroporto romano. Transferem a lembrança para Paris. Chico conheceu Vinicius quando era menino e o via freqüentar os saraus da casa de seu pai, o historiador Sérgio Buarque de Hollanda. Faria apenas meia dúzia de músicas com o poeta, mas ficou marcado
pela sua grandeza. Uma grandeza alegre e gentil. Um ano após a morte de
Vinicius, o compositor batizou o campo de futebol que mantém no Recreio
dos Bandeirantes — na verdade, um conjunto de campo, vestiário e barzinho — de Grêmio Recreativo Vinicius de Moraes. Não importa que o poeta
não jogasse futebol. O aeroporto de Orly também não fica em Roma e nem
por isso o "Samba de Orly" deixou de ser feito. A poesia nada tem que
ver com a verdade.

Vinicius teve muitos parceiros bissextos: Raimundo Fagner, Carlinhos
Vergueiro, João Bosco, Vicente Barreto. Foi criando parcerias ao longo da
vida, com a mesma disponibilidade com que se entregava à poesia. Não poderia jamais se apegar a um parceiro só: vivia tramando pequenas e férteis
traições. Vinicius procurava sempre parceiros corajosos e disponíveis, capazes de se entregar, com rapidez, à farra de uma canção. Gostava de pessoas desembaraçadas como o cantor Cyro Monteiro, sempre pronto para
um improviso. Sempre contava uma história de Cyro: um dia, o cantor foi
à praça XV levar um amigo que tomaria a barca para Niterói. Na bilheteria,
o camarada o convenceu a tomar a barca com ele, para que terminassem
a conversa na travessia da baía. Cyro acabou indo com o amigo para um
bar em Icaraí. Voltou para casa três dias depois. Vinicius ficava impressionado com esse desprendimento. Essa abnegação pela amizade que fazia a
ordem das coisas se inverter, porque estava acima de tudo. Esse era seu
modelo de vida — e por isso Cyro Monteiro foi um de seus ídolos. Vinicius
nunca poupou reverências ao cantor. Desde menino era torcedor do Botafogo, mas Cyro era Flamengo — e ficou famoso pelas camisetas rubro-negras
que mandava para os filhos recém-nascidos de seus amigos. Se alguém perguntava a Vinicius qual era o seu time, respondia de pronto: "Botafogo".
Mas se queriam saber: "Doente?", ele dizia: "Não, eu sou meio Botafogo,
meio Flamengo. A culpa é do Cyro". Mas Cyro Monteiro o tinha como guru. Afirmava que ele era "uma espécie de pai-de-santo" e não tomava decisões importantes em sua vida pessoal sem antes consultá-lo.

"A gente tem que ir para a frente", Vinicius gostava de dizer aos amigos. Com a ressalva: "Mas sem esquecer de prestar tributo aos antigos".
Lamentou muitas vezes não ter podido compor com Noel Rosa. Tinha, porém, orgulho especial por outros homens mais velhos que se tornaram seus
parceiros. De Pixinguinha, com quem compôs "Lamento", dizia: "Nenhum
lorde inglês o supera em finura e *lordeza*". Com o sambista, Vinicius come-

çou a freqüentar músicos como Donga e Ismael Silva. Depois se aproximou de Ary Barroso, com quem fez o "Rancho das namoradas". Foi Ary quem o procurou pela primeira vez, convocando-o a se tornar seu parceiro. Juntos, fizeram sucessos para Angela Maria. No início dos anos 50, faz um pacto com Antonio Maria. Cada um faria um samba sozinho, letra e música, e depois daria parceria ao outro. Vinicius fez, então, "Quando tu passas por mim", e atribuiu a letra ao parceiro. Quando revelou o segredo, disse: "O pacto foi muito mais vantajoso para mim, porque o Antonio Maria é muito melhor letrista que eu". Juntos, ele e o compositor tinham o hábito de seguir bandos de cachorros vira-latas pelas madrugadas de Copacabana. Chutavam latas velhas, visitavam becos sem saída, vagavam. Nessas caminhadas heróicas, Vinicius fixou uma de suas mais célebres máximas sobre o amor: "A solidão pior é do ser que não ama. E os vira-latas amam". Fazia daqueles cachorros pulguentos e tristes seus mestres.

Impressionado com o nomadismo do poeta, Manuel Bandeira um dia assim o definiu: "Ele tem o fôlego dos românticos, a espiritualidade dos simbolistas, a perícia dos parnasianos e finalmente, homem bem de seu tempo, a liberdade, a licença, o esplêndido cinismo dos modernos". Vinicius, graças a esse espírito fragmentado, múltiplo, se adaptava a todas as gerações e a todos os estilos. Foi conhecido por muitos como "o branco mais preto do Brasil" e, depois do casamento com a baiana Gessy Gesse, passou a ser "o carioca mais baiano do Brasil". Sempre que alguém tentava defini-lo pelo que fazia ou pelas pessoas que o cercavam, caía num impasse, como se deparasse com vários homens, e não um só. "Não sou inconstante", se defendeu o poeta um dia. "Sou o antiinconstante. Só porque tive várias mulheres e vários parceiros sou inconstante? Não, sou constante com cada uma delas e com cada um deles."

Depois do encontro com Tom Jobim, com Baden Powell, com Carlos Lyra, Vinicius se aproximou da chamada "geração de 63", em que pontificavam Edu Lobo e Francis Hime. Com Hime, um dos parceiros que mais investiu na alma romântica do poeta, compôs sucessos como "Sem mais adeus" e radicalizou seu pacto com o sentimentalismo. O amor voltava a seu posto de mola do mundo. Vinicius estava sempre injetando ânimo e determinação nesses jovens, ainda um tanto paralisados pelas dúvidas da idade. O medo que se tornava paralisia. Edu Lobo lembra do dia em que mostrou ao poeta, despretensiosamente, uma melodia que tinha sobrado da composição do musical "Arena canta Zumbi". "Como é que é, você vai perder essa?", protestou Vinicius. "Eu não me lembro dela direito. Ficou de lado e a esqueci." E teve que ouvir o sermão: "Pois então vá para casa e trata de lembrar dela direito. Depois volta". Foi assim que nasceu o "Canto triste" — de um doce sermão de pai.

Vinicius foi assim desde o começo. Aos quinze anos de idade, quando se uniu aos Irmãos Tapajós para compor, já era ele quem tomava o comando quando a dupla vocal desanimava. Com os Irmãos Tapajós, fez um fox-trote,

"Loura ou morena", e uma *berceuse*, "Canção de amante". Com eles, ganhou o primeiro dinheiro de sua vida como poeta. Haroldo e Paulinho Tapajós, colegas de ginásio, tomaram outro caminho. Vinicius passou então a compor com um tio, Anibal Cruz, com quem fez alguns sambinhas, que chegaram a encantar Carmen Miranda. A partir dali, foi atravessando todas as gerações de compositores que apareceram à sua frente, não deixando escapar nenhuma. No fim da vida, compunha com garotos como Toquinho, João Bosco e Eduardo Souto Neto. E compunha desde o começo sozinho: aprendeu a fazer música e se tornou seu próprio parceiro.

Vinicius sonhava alto na escolha de seus parceiros — e isso ia muito além do campo restritamente musical. Depois de compor "Pobre menina rica" com Carlos Lyra, passou meses sonhando com uma montagem do musical que tivesse Brigitte Bardot no papel título. Quando colocou o ponto final na *Tragédia em Barros Filho*, peça de teatro inédita, logo sonhou em vê-la representada por Lima Duarte, ator que começava a se tornar alvo de grande prestígio. Ao começar a compor com Baden Powell uma inacabada *Ópera do Nordeste*, logo pensou numa montagem que teria João Gilberto e Grande Otelo como protagonistas, "como um Dom Quixote e um Sancho Pança brasileiros".

Por amor a seus parceiros, participou várias vezes de uma das coisas que mais odiava na vida: os festivais da canção. No III Festival de Música Popular Brasileira da TV Record — o mesmo em que surgiram "Ponteio", de Edu Lobo, e "Roda viva", de Chico Buarque — Vinicius participou com o "Samba de Maria", cantado por Jair Rodrigues, e nos bastidores se deu por esgotado: "Estou cansado de festivais", disse. "Cansado de tantas fofocas, de tanta política. Não entraria em festivais, não fosse por meus parceiros."

A única mulher que dele se aproximou como parceira foi a cantora Marília Medalha. Em 1966, ela fazia um show com Edu Lobo e o Tamba Trio na boate Zum Zum. Havia sempre uma mesma figura na platéia, quase sempre sozinho, com o ar de quem cumpria um ritual religioso: Vinicius. Ficaram amigos. Depois do ato institucional nº 5, Marília começou a sofrer represálias e ameaças por culpa de sua imagem de "cantora de protesto". Em 1970, ela se encontrou acidentalmente com o poeta, que fazia as malas para temporada em Buenos Aires. "Me leva?", pediu de brincadeira. "Aqui não está dando mais para mim." Vinicius levou o pedido a sério e a convidou para acompanhá-lo num show programado para a boate La Fuza, ao lado de Toquinho. Acabaram trabalhando juntos por três anos seguidos. Marília sempre sonhara em ser também compositora, mas não mostrava suas canções para ninguém. Um dia, mostrou para Vinicius — ele próprio um poeta com suas inseguranças de compositor. Ele insistiu que ela tinha futuro. Com raiva, fez letras para duas músicas, que se transformaram na "Valsa para o amante" e em "O grande apelo". Marília levou um susto quando o poeta apareceu em sua casa com as letras prontas. Fizeram ao todo treze canções.

A cantora aprendeu a conviver com um homem fascinante, mas estranho. Um dia, o encontrou chorando convulsivamente num canto da sala de seu apartamento. "O que foi, Vinicius?" Sem conseguir falar direito, ele respondeu: "Ah, eu tenho tanta pena das pessoas". "Mas por quê? Pena de quem?" O poeta: "Das pessoas todas. Elas sofrem tanto...". Vinicius conseguia ter sentimentos tão amplos que eles não necessitavam de objeto. Eram emoções esgotadas na própria emoção, e que serviam para todos.

O poeta gostava muito de seus amigos e buscava sempre um modo de seduzi-los e homenageá-los. Via a todos, parceiros ou não, como parceiros da vida, pois em sua cabeça poesia e vida se misturavam. "Meu amigo Pedro Nava/ Em que navio embarcou/ A bordo do Westfalia/ Ou a bordo do Lidador", escreveu, por exemplo, para celebrar a amizade com o médico e romancista. Westfalia e Lidador, ressalve-se, eram dois dos bares preferidos de Nava e de Vinicius. Sempre que alguém lhe perguntava sobre o futuro, aproveitava para fazer uma homenagem do gênero: "No futuro não sei, mas em outra encarnação eu queria ser Pixinguinha". Em entrevistas, estava sempre pronto, também, para promessas de fidelidade e de admiração. Certa vez lhe perguntaram: "Você é sábio?". Vinicius aproveitou: "Eu, não. Sábio é o Dorival Caymmi". O que também não quer dizer que não fosse um parceiro exigente. E escolhia com rigor suas companhias. Criou, por exemplo, a figura do "chato-depois", que sintetizava o pior tipo de amizade. Em conversa com a cantora Elizeth Cardoso, que estava curiosa a respeito daquele novo tipo psicológico, assim o definiu: "É aquele sujeito que na hora te parece interessante, insinuante e simpático. Mas quando você o encontra pela segunda vez, descobre que é o maior dos chatos". Para fugir do "chato-depois", não dava ninguém por amigo antes de um segundo encontro. O "chato-depois" era sua antítese, porque Vinicius era um homem do imediato. Um especialista em transparências.

Vinicius disse muitas vezes que seu amor pelas parcerias começou junto com o amor pela música. Em 1954, depois de lançar a primeira edição da *Antologia poética*, teve uma crise espiritual. "Peguei aquele livro pronto e senti que tudo o que fizesse seria apenas repetição", relatou depois. Decidiu, ali, se tornar letrista e saiu em busca de um parceiro — como um menino, em busca de um irmão ideal. A música o alçou a um novo tipo de espiritualização, em que o espiritual só serve quando está encarnado no real. Buscou em cada parceiro uma espécie de espelho, uma figura que o completasse, que caminhasse com ele em sua luta, sempre rigorosa contra a melancolia que, até o fim, ameaçou triunfar. Mas Vinicius fez da tristeza, que não tem fim, a sua musa. E por isso pôde, como poucos, acariciar a felicidade.

Não te quero ter porque em meu ser tudo estaria
                                              terminado
Quero só que surjas em mim como a fé nos
                                        desesperados
Para que eu possa levar uma gota de orvalho desta
                                    terra amaldiçoada
Que ficou sobre a minha carne como uma nódoa do
                                              passado

Eu deixarei... tu irás e encostarás a tua face em outra
                                                    face
Teus dedos enlaçarão outros dedos e tu
desabrocharás para a madrugada
Mas tu não saberás que quem te colheu fui eu,
porque eu fui o grande íntimo da noite

Edu Lobo, Tom Jobim, Caetano Veloso, Paulinho da Viola, Zé Kéti,
Francis Hime, Nelson Motta, Dori Caymmi, Chico Buarque,
Braguinha, entre outros amigos: parceiros na vida

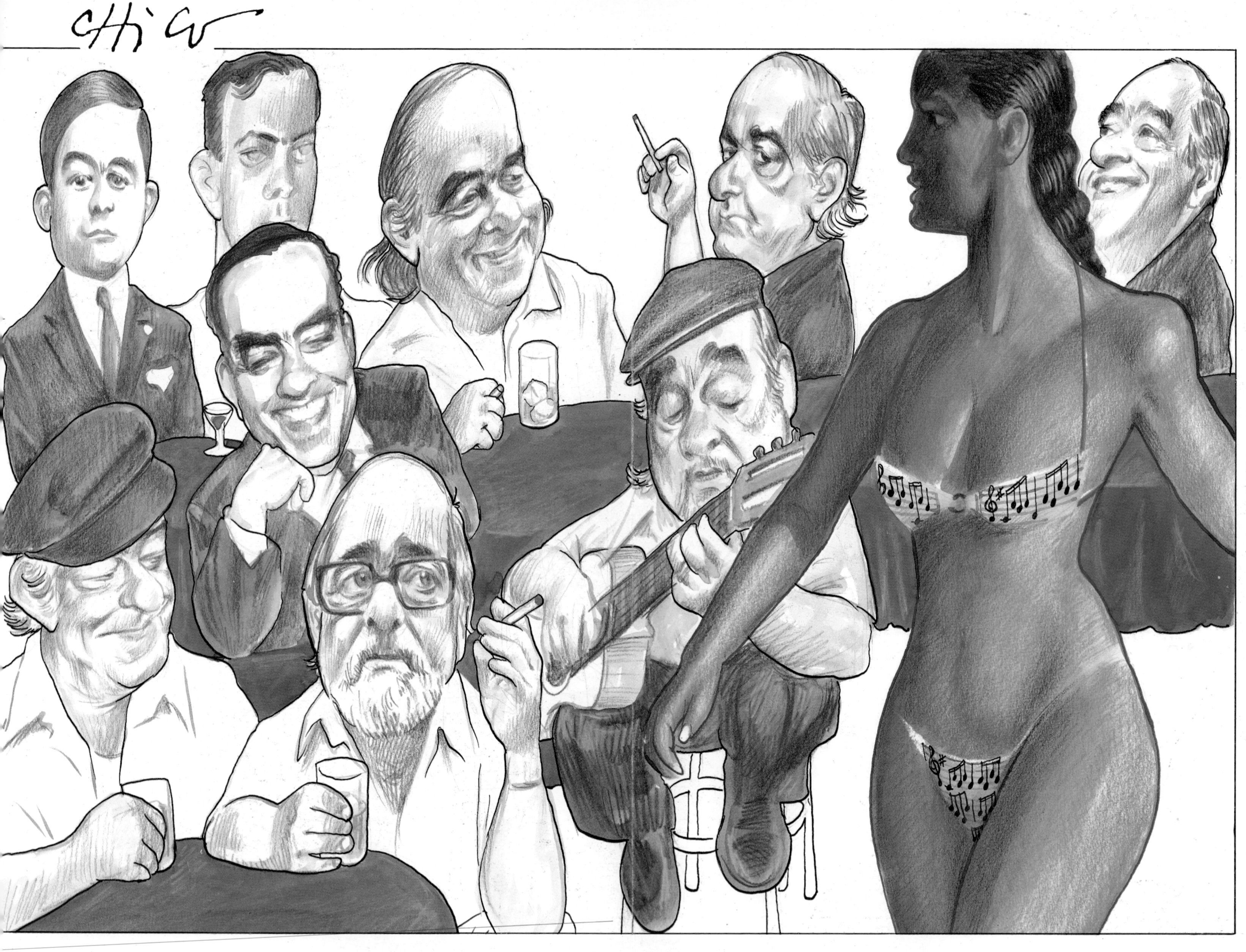

À "Loura ou morena", primeira canção com letra de Vinicius a ser gravada em vinil, seguiu-se uma produção de mais de trezentas letras, muitas delas cantadas pelo próprio poeta nos discos cujas capas aqui aparecem.

Columbia

Gravação M. REGISTR. Viva-tonal

Columbia

PROCESSO ELECTRICO — INDUSTRIA BRAZILEIRA

FOX-CANÇÃO

LOURA OU MORENA
(Letra de Vinicius de Moraes,
Música de Haroldo Tapajóz)
Paulo e Haroldo Tapajoz
acomp. pela Orchestra Columbia

22138-B
381292

PAT. N.OS U.S.A. JAN. 21, 98 E RE. 16588 E 170756
© COLUMBIA BRAZIL PHONOGRAPH COMPANY, INC.

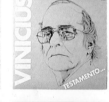

Pixinguinha: quando o guru tem um guru

Ao lado de Dorival Caymmi: abraçando o Brasil

Entre chopps e uísque,
Vinicius diverte Chico Buarque ▶
e Nelson Motta

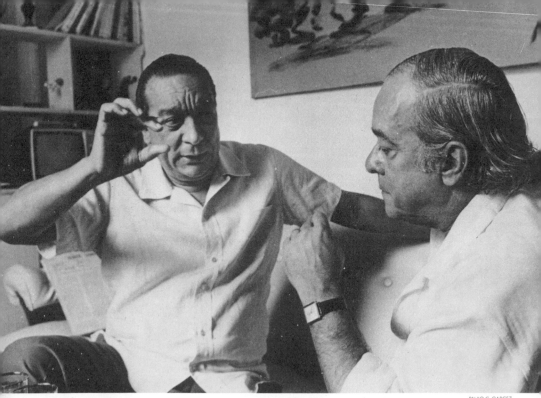

Cyro Monteiro
não tomava decisões
sem consultar o poeta

PAULO C. GARCEZ

CAMPANELA NETO/AJB

Ary Barroso:
parceiro rigoroso

AGÊNCIA ESTADO

Com Francis Hime:
o auxílio da filha Susana

Vinicius mudou a vida
do estudante de direito Edu Lobo

Com Marília Medalha (e Ângela Maria mais à direita):
sua única parceria musical feminina

VINICIUS
E
OUTROS PARCEIROS

Bom dia, tristeza

Vinicius de Moraes - Adoniran Barbosa

Bom dia, tristeza
Que tarde, tristeza
Você veio hoje me ver
Já estava ficando
Até meio triste
De estar tanto tempo
Longe de você

Se chegue, tristeza
Se sente comigo
Aqui
Nesta mesa de bar
Beba do meu copo
Me dê o seu ombro
Que é para eu chorar
Chorar de tristeza
Tristeza de amar

Tudo o que é meu

Vinicius de Moraes - Alaíde Costa

Só há razão para chorar
Quando não se tem um grande amor
E não se pode chorar de amor
Como hoje choro eu

Só há razão de sofrer
Pra quem a vida esqueceu
Quero ser tua até morrer
Toma, amor, tudo o que é meu

A Estrela Polar

Vinicius de Moraes - Antonio Madureira

Eu vi a Estrela Polar
Chorando em cima do mar
Eu vi a Estrela Polar
Nas costas de Portugal

Desde então não seja Vênus
A mais pura das estrelas
A Estrela Polar não brilha
Se humilha no firmamento

Parece uma criancinha
Enjeitada pelo frio
Estrelinha franciscana

Teresinha, Mariana
Perdida no Pólo Norte
De toda a tristeza humana

Quando a noite me entende

Vinicius de Moraes - Antônio Maria

Quando, no fim de uma tarde
Não há quem me aguarde
Que melancolia
Sou uma coisa infeliz
Que num copo de whisky
Disfarça a alegria

E quando a noite me entende
E a mão que se estende
É amiga da minha
Mesmo que seja ilusão
Bate mais em meu peito
Esse meu coração, coração

Coração, toma jeito
Bate mais devagar em meu peito
Deixa a mania do amor
Se sou feliz ou infeliz
Pouco importa, o que conforta
É ter vivo esse meu coração

Quando tu passas por mim

Vinicius de Moraes - Antônio Maria

Quando tu passas por mim
Por mim passam saudades cruéis
Passam saudades de um tempo
Em que a vida eu vivia a teus pés
Quando tu passas por mim
Passam coisas que eu quero esquecer
Beijos de amor infiéis
Juras que fazem sofrer

Quando tu passas por mim
Passa o tempo e me leva pra trás
Leva-me a um tempo sem fim
A um amor onde o amor foi demais
E eu que só fiz te adorar
E de tanto te amar penei mágoas
                              sem fim
Hoje nem olho pra trás
Quando tu passas por mim

Canção do amor que não vem

Vinicius de Moraes - Ary Barroso

Ah, soubesse eu te contar
Toda amargura
De não poder te dar
Tanta ternura
Ah, soubesse eu nunca te contar
Ah, pudesse eu te dizer
Toda tristeza
De estar sempre esperando
Uma incerteza
E nada poder
Nem desesperar

Oh, Triste caminho do coração
Que ama sozinho
Que coisa triste
Amar sozinho
Quanta solidão

Ah, pudesses entrever
Minha ansiedade
Depois de um dia de saudade
De uma noite inteira
A soluçar
Vem!
Não tardes mais
Amor, que eu vivo procurando
Quando vais chegar?
Eu sei que chegarás

Ah, pudesse eu pôr a teus pés
A minha vida
Amor, por quem tu és
Oh, vem
Não tardes mais

Sim, por favor
Façam silêncio
Meu amor
Vem em silêncio
Quando ele por mim passar

Em noite de luar

Vinicius de Moraes - Ary Barroso

Vai, vai
Samba meu
E diz a ela
Que hoje na rua
Tinha aquela mesma antiga lua
Vai, diz
Diz que eu
Fiquei tão triste
Tão infeliz
Saudade que me deu

Desaparece um amor, e parece
Que a gente esquece
Pode viver
Mas basta apenas uma lua na rua
E já não se pode esquecer

Sai, sai
Vai chorar
Amor tão triste
Que só existe
Em noite de luar

Já era tempo

Vinicius de Moraes - Ary Barroso

Já era tempo de você voltar
Me beijar, esquecer
Já era mais que tempo de você
Refletir que as palavras
Muitas vezes
Não provêm do coração

Há muitos meses que você, meu
bem
Disse adeus e partiu
Já era tempo de você chegar
Como eu, com os olhos rasos d'água
Mas sem mágoa

Triste de quem tem e vive à toa
Triste de quem ama e não perdoa
Ai de quem não cede
E de quem sempre tem razão
Ninguém sabe mais que o coração

Por isso eu peço: volta aos braços
meus
Sem adeus, só perdão
Porque na hora em que você chegar
Como eu, com os olhos rasos d'água
Mas sem mágoa

Primeiro eu vou fingir espanto
Depois sorrir banhada em pranto

Mulata no sapateado

Vinicius de Moraes - Ary Barroso

Quem tem mais balanço num
sapateado
Tem mais molejo, tem mais
requebrado, oi
Do que a mulata tem?
Quem é mais faceira, mais
apaixonada
Faz mais miséria quando está
gamada
Tem mais feitiço que a mulata tem?
Quem é que se mostra pro
estrangeiro ver, por favor
Imperador, ou presidente ou
qualquer todo — crente que vem
Quem, é a mulata só porque ela
samba bem

Sim, é a mulata seja lá de onde ela
for
Pra mexer assim precisa ter aquela
cor
Tanto faz num samba de partido-alto
Ou num puladinho na ponta do
salto
Desenvolvendo o seu sapateado
Que prazer
Como ela gira o mostrador
Mulata, meu amor
Mexe que remexe que torna a mexer
só pra eu ver

Se samba, oi
Se samba!

Rancho das namoradas

Vinicius de Moraes - Ary Barroso

Já vem raiando a madrugada
Acorda, que lindo!
Mesmo a tristeza está sorrindo
Entre as flores da manhã
Se abrindo nas cores do céu
O véu das nuvens que esvoaçam
Que passam pela estrela a morrer
Parecem nos dizer
Que não existe beleza maior
Do que o amanhecer

E no entanto maior
Bem maior que a do céu
Bem maior que a do mar
Maior que toda a natureza
É a beleza que tem a mulher
                              namorada
Seu corpo é assim como a aurora
                              ardente
Sua alma é uma estrela inocente
Seu corpo é uma rosa fechada
Em seu seio, os pudores
Renascem das dores de antigos
                              amores
Que vieram, mas não eram o amor
                              que se espera
O amor primavera
São tantos seus encantos
Que para os comparar
Nem mesmo a beleza que têm
As auroras do mar

Malandro de araque

Vinicius de Moraes - Azeitona - Jaime Lerner

Mosquito que sabe não voa rasante
Em água de rio que tem jacaré
Embrulho bem feito não leva
                              barbante
Bandido não briga com homem de fé

Não jogue esse charme nem use esse
                              jogo
Fazendo passinho pra ver se dá pé
Escute um conselho: não brinque
                              com fogo
Malandro não pega no pé de mulher

Zuzu
Zazá
Zizi
Zezé

Ninguém lhe dá asa, ninguém lhe dá
                              bola
Já esteve na casa, já viu como é
Pois vê se se manda porque nesta
                              escola
Malandro não pega no pé de
                              mulher!

As abelhas

Vinicius de Moraes - Bacalov

A abelha-mestra
E as abelhinhas
Estão todas prontinhas
Para ir para a festa
Num zune-que-zune
Lá vão pro jardim
Brincar com a cravina
Valsar com o jasmim
Da rosa pro cravo
Do cravo pra rosa
Da rosa pro favo
E de volta pra rosa

Venham ver como dão mel
As abelhas do céu
Venham ver como dão mel
As abelhas do céu

A abelha-rainha
Está sempre cansada
Engorda a pancinha
E não faz mais nada
Num zune-que-zune
Lá vão pro jardim
Brincar com a cravina
Valsar com o jasmin
Da rosa pro cravo
Do cravo pra rosa
Da rosa pro favo
E de volta pra rosa

Venham ver como dão mel
As abelhas do céu
Venham ver como dão mel
As abelhas do céu

O ar (o vento)

Vinicius de Moraes - Bacalov - Toquinho

Estou vivo mas não tenho corpo
Por isso é que não tenho forma
Peso eu também não tenho
Não tenho cor

Quando sou fraco
Me chamo brisa
E se assobio
Isso é comum
Quando sou forte
Me chamo vento
Quando sou cheiro
Me chamo pum!

O gato

Vinicius de Moraes - Bacalov - Toquinho

Com um lindo salto
Leve e seguro
O gato passa
Do chão ao muro
Logo mudando
De opinião
Passa de novo
Do muro ao chão
E pisa e passa
Cuidadoso, de mansinho
Pega e corre, silencioso
Atrás de um pobre passarinho
E logo pára
Como assombrado
Depois dispara
Pula de lado
Se num novelo
Fica enroscado
Ouriça o pêlo, mal-humorado
Um preguiçoso é o que ele é
E gosta muito de cafuné

Com um lindo salto
Leve e seguro
O gato passa
Do chão ao muro
Logo mudando
De opinião
Passa de novo
Do muro ao chão
E pisa e passa
Cuidadoso, de mansinho
Pega e corre, silencioso
Atrás de um pobre passarinho
E logo pára
Como assombrado
Depois dispara
Pula de lado
E quando à noite vem a fadiga
Toma seu banho
Passando a língua pela barriga

O velho e a flor

Vinicius de Moraes - Bacalov - Toquinho

Por céus e mares eu andei
Vi um poeta e vi um rei
Na esperança de saber o que é o
                                        amor
Ninguém sabia me dizer
E eu já queria até morrer
Quando um velhinho com uma flor
                                        assim falou

O amor é o carinho
É o espinho que não se vê em cada
                                        flor
É a vida quando
Chega sangrando
Aberta em pétalas de amor

Soneto da fidelidade

Vinicius de Moraes - Capiba

Eu possa lhe dizer do amor que tive
Que não seja imortal, posto que é
                                chama
Mas que seja infinito enquanto dure

De tudo, ao meu amor serei atento
Antes, e com tal zelo, e sempre, e
                                tanto
Que mesmo em face do maior
                            encanto
Dele se encante mais meu
                        pensamento

Quero vivê-lo em cada vão momento
E em seu louvor hei de espalhar
                            meu canto
E rir meu riso e derramar meu
                            pranto
Ao seu pesar ou seu contentamento

E assim quando mais tarde me
                            procure
Quem sabe a morte, angústia de
                            quem vive
Quem sabe a solidão, fim de quem
                                ama

Eu possa lhe dizer do amor (que
                            tive):
Que não seja imortal, posto que é
                            chama
Mas que seja infinito enquanto dure

Por que será

Vinicius de Moraes - Carlinhos Vergueiro
- Toquinho

Por que será
Que eu ando triste por te adorar
Por que será
Que a vida insiste em se mostrar
Mais distraída dentro de um bar
Por que será
Por que será
Que o nosso assunto já se acabou
Por que será
Que o que era junto se separou
E o que era muito se definhou
Por que será

Eu quantas vezes
Me sento à mesa de algum lugar
Falando coisas só por falar
Adiando a hora de te encontrar
É muito triste
Quando se sente tudo morrer
E ainda existe
O amor que mente para esconder
Que o amor presente
Não tem mais nada para dizer
Por que será

Desalento

Vinicius de Moraes - Chico Buarque

Sim, vai e diz
Diz assim
Que eu chorei
Que eu morri
De arrependimento
Que o meu desalento
Já não tem mais fim
Vai e diz
Diz assim
Como sou
Infeliz
No meu descaminho
Diz que estou sozinho
E sem saber de mim

Diz que eu estive por pouco
Diz a ela que estou louco
Pra perdoar
Que seja lá como for
Por amor
Por favor
É pra ela voltar

Sim, vai e diz
Diz assim
Que eu rodei
Que eu bebi
Que eu caí
Que eu não sei
Que eu só sei
Que cansei, enfim
Dos meus desencontros
Corre e diz a ela
Que eu entrego os pontos

Estamos aí

Vinicius de Moraes - Chico Buarque
- Tom Jobim - Toquinho

Estamos aí
Gente amiga que muito se quer
Estamos aí
Pro que der e vier
Estamos aí
Pro amor e pra desilusão
Mas como é bom cantar
Musiplicar
A magia de cada canção

Música
Como é bom cantar
Música
Deixa pensar que pra amar é preciso
                              fingir
Deixa dizer que é preciso mentir
Deixa falar que a poesia não pode
                              existir
Deixa pra lá
Estamos aí

Gente humilde

Vinicius de Moraes - Chico Buarque
- Garoto

Tem certos dias em que eu penso
em minha gente
E sinto assim todo o meu peito se
apertar
Porque parece que acontece de
repente
Como um desejo de eu viver sem
me notar
Igual a como quando eu passo no
subúrbio
Eu muito bem vindo de trem de
algum lugar
E aí me dá uma inveja dessa gente
Que vai em frente sem nem ter com
que contar

São casas simples, com cadeiras na
calçada
E na fachada escrito em cima que é
um lar
Pela varanda, flores tristes e baldias
Como a alegria que não tem onde
encostar
E aí me dá uma tristeza no meu
peito
Feito um despeito de eu não ter
como lutar
E eu que não creio peço a Deus por
minha gente
É gente humilde, que vontade de
chorar

Olha, Maria

Vinicius de Moraes - Chico Buarque
- Tom Jobim

Olha, Maria
Eu bem te queria
Fazer uma presa
Da minha poesia
Mas hoje, Maria
Pra minha surpresa
Pra minha tristeza
Precisas partir

Parte, Maria
Que estás tão bonita
Que estás tão aflita
Pra me abandonar
Sinto, Maria
Que estás de visita
Teu corpo se agita
Querendo dançar

Parte, Maria
Que estás toda nua
Que a lua te chama
Que estás tão mulher
Arde, Maria
Na chama da lua
Maria, cigana, Maria, maré
Parte cantando
Maria fugindo
Contra a ventania
Brincando, dormindo
Num colo de serra
Num campo vazio
Num leito de rio
Nos braços do mar

Vai, alegria
Que a vida, Maria
Não passa de um dia
Não vou te prender
Corre, Maria
Que a vida não espera
É uma primavera
Não podes perder
Anda, Maria
Pois eu só teria
A minha agonia
Pra te oferecer

Samba de Orly

Vinicius de Moraes - Chico Buarque
- Toquinho

Vai, meu irmão
Pega esse avião
Você tem razão
De correr assim
Desse frio
Mas beija
O meu Rio de Janeiro
Antes que um aventureiro
Lance mão

Pede perdão
Pela duração
Dessa temporada
Mas não diga nada
Que me viu chorando
E pros da pesada
Diz que eu vou levando
Vê como é que anda
Aquela vida à-toa
E se puder me manda
Uma notícia boa

Valsinha

Vinicius de Moraes - Chico Buarque

Um dia ele chegou tão diferente do
　　　　seu jeito de sempre chegar
Olhou-a dum jeito muito mais
　　quente do que sempre costumava
　　　　　　olhar
E não maldisse a vida tanto quanto
　　　　era seu jeito de sempre falar
E nem deixou-a só num canto, para
　　seu grande espanto convidou-a pra
　　　　　　rodar

Então ela se fez bonita como há
　　　　muito tempo não queria ousar
Com seu vestido decotado cheirando
　　　　a guardado de tanto esperar
Depois os dois deram-se os braços
　　como há muito tempo não se usava
　　　　　　dar
E cheios de ternura e graça foram
　　　　para a praça e começaram a se
　　　　　　abraçar

E ali dançaram tanta dança que a
　　　　vizinhança toda despertou
E foi tanta felicidade que toda a
　　　　cidade enfim se iluminou
E foram tantos beijos loucos
Tantos gritos roucos como não se
　　　　　　ouvia mais
Que o mundo compreendeu
E o dia amanheceu
Em paz

Certa Maria

Vinicius de Moraes - Cyro Monteiro

Se for Zazá
Deixa isso pra lá
Se for Zezé
Já não dá mais pé
Se for Zizi
Diga que eu parti
Parti sem lhe dar explicação

Se for Zozó
Diga que eu não tô nem pra Zuzu
Tudo terminou
Pode dizer o que quiser
Se for mulher na ligação

Menos se for certa Maria que eu
                                    adoro
E por quem choro
E não durmo e nem canções canto
                                    mais
Se ela chamar
E se eu não tiver, pode dizer
Que se ela quiser eu estou na base
De casar e ter casais
E diga ainda
Que ela é linda
Ela é linda demais

Acalanto da rosa

Vinicius de Moraes - Claudio Santoro

Dorme a estrela no céu
Dorme a rosa em seu jardim
Dorme a lua no mar
Dorme o amor dentro de mim

É preciso pisar leve
Ai, é preciso não falar
Meu amor se adormece
Que suave o seu perfume
Dorme em paz rosa pura
O teu sono não tem fim

Alma perdida

Vinicius de Moraes - Claudio Santoro

Alma perdida
Teu cantochão tão longe
Tão sozinho chegou até mim
Ai, quisera eu tanto dizer
Volta
Oh, alma perdida
Volta
Oh, alma
Vem amar
Vem sofrer

Amor e lágrimas

Vinicius de Moraes - Claudio Santoro

Ouve o mar que soluça na solidão
Ouve, amor, o mar que soluça
Na mais triste solidão
E ouve, amor, os ventos que voltam
Dos espaços que ninguém sabe
Sobre as ondas se debruçam
E soluçam de paixão
E ouve, amor, no fundo da noite
Como as árvores ao vento
Num lamento se debruçam
E soluçam para o chão

Amor que partiu

Vinicius de Moraes - Claudio Santoro

Dor
De querer quem não vem
Dor
De viver sem seu bem
Oh, dor
Que perdoa ninguém
Meu amor
Não tem compaixão
Partiu
Oh, flor
Paixão
Amor que partiu
Tem dó de mim
Assim sem meu bem
Oh, vem perto de mim
Que sofro na solidão
Tão triste dor

Balada da flor da terra

Vinicius de Moraes - Claudio Santoro

Nem a luz da lua na tarde
Nem a onda do mar quando ela vem
Nem a flor do céu quando se abre
Têm a graça de você

Meu amor
É bonita
É bonita

Ai, que aroma o corpo do meu bem
Ai, que negros são os seus cabelos
Meu bem, não vá mais embora
Não me deixe por favor
Sem meu bem eu me morro
Eu me morro de amor
De amor
De amor

Bem pior que a morte

Vinicius de Moraes - Claudio Santoro

Bem pior que a morte
É deixar só o amor
Oh, minha amada
Na hora em que eu me for
Sozinho na treva
Oh, vem comigo
Oh, vem comigo
Lá onde existe a grande paz
O amor em paz

Cantiga da ausente

Vinicius de Moraes - Claudio Santoro

Se eu ando assim tão triste
Tão cheio de langor
É porque nada existe
Para mim sem meu amor

Ela está tão longe, tão longe
Que nem sei
E o seu olhar tão lindo
Não pode nem me ver

E as suas mãos morenas
Já nem podem me acenar
E só me resta a esperança
De ver meu amor voltar

Com os seus cabelos negros
E a sua graça pequenina
E a sua ternura linda
E o seu gostar de mim como ela me
dizia
Feliz a soluçar
Eu te amo tanto
Que já nem sei mais

Em algum lugar

Vinicius de Moraes - Claudio Santoro

Deve existir
Eu sei que deve existir
Algum lugar onde o amor
Possa viver a sua vida em paz
E esquecido de que existe o amor
Ser feliz, ser feliz, bem feliz

Estes teus olhos

Vinicius de Moraes - Claudio Santoro

Eu gosto tanto
Eu tenho encanto
Por teu sorriso
Porque a coisa
Que eu acho louca
É a maravilha
Do teu olhar

Há nos teus olhos
Ilhas distantes e serenas
Há nos teus olhos
Tantos caminhos e trilhas
Há nos teus olhos
Muitas estrelas
Muito, muito silêncio
Muito luar

Teus olhos grandes
Teus olhos tristes
Cuja tristeza
Me fez te amar

Jardim noturno

Vinicius de Moraes - Claudio Santoro

Se meu amor distante
Eu sou como um jardim noturno
Meu silêncio é o seu perfume
A se exalar em vão dentro da noite

Oh, volta, minha amada
A morte ronda em teu jardim
As rosas tremem
E a lua nem parece
Mais lembrar de mim

Luar do meu bem

Vinicius de Moraes - Claudio Santoro

O meu amor mora longe
Tão longe
Que já nem sei mais
A lua no céu também mora longe
Mas brilha no mar
Assim o meu bem
Que quanto mais além
Mais me faz pensar

Saudade, meu desespero
É minha consolação
Diz ao meu bem
Que eu não quero
Sentir mais saudade, não

A mais dolorosa das histórias

Vinicius de Moraes - Claudio Santoro

Silêncio
Façam silêncio
Quero dizer-vos minha tristeza
Minha saudade e a dor
A dor que há no meu canto

Oh, silenciai
Vós que assim vos agitais
Perdidamente em vão
Meu coração vos canta
A mais dolorosa das histórias
Minha amada partiu
Partiu

Oh, grande desespero de quem ama
Ver partir o seu amor

Ouve o silêncio

Vinicius de Moraes - Claudio Santoro

Cala
Ouve o silêncio
Ouve o silêncio
Que nos fala tristemente
Desse amor que não podemos ter

Não fala
Fala baixinho
Diz bem de leve um segredo
Um verso de esperança em nosso
                                amor

Não, oh, meu amor!
Canta a beleza de viver!
Saúda o sol e a alegria de amar
Em nossa grande solidão

Pregão da saudade

Vinicius de Moraes - Claudio Santoro

Quem quer minha tristeza
Quem quer minha aflição
Se quiser, vendo barato
Fiado não vendo, não

Também tenho uma saudade
Uma saudade de um bem-querer
Todos dois dou até dado
Pois não quero mais sofrer

Fuga e antifuga

(Marcha-rancho em forma de fuga)

Vinicius de Moraes - Edino Krieger

A viver o que existe
E que é sò tristeza
É melhor já ser triste
E não ter o que esperar

A esperanca resiste — É uma ilusão
A qualquer incerteza — Desilusão
À suprema pobreza — Oh, solidão
E não ter o que esperar

É melhor desesperar
É melhor desconhecer
É melhor desenganar
O coração que vai sofrer

Só o amor nos eleva — É um adeus
         que nunca finda
Só o amor nos exalta — Ai, quem
        me dera o esquecimento
Sempre que ele nos falta — É tão
        grande o sofrimento
É a treva e a solidão

Oh, tristeza infinita — Deixa em
        mim teu desespero
Que não há quem conforte — Um
        dia chega a primavera
O amor e a morte — Sou a vida que
        te espera
É a treva e a solidão...

Vem sem mágoa e sem adeus
Vem banhar-te em minha luz
Vem plantar a tua cruz — Minha
        cruz
Dentro da cruz dos braços meus
Oh, vem amar!

E quando eu quiser partir
Quando a noite me chamar
Quando o sonho me vier?
Saberei te compreender
Sou mulher, sou mulher, sou
        mulher, sou mulher
Sou mulher pra te servir

Orquestra

Sou mulher pra te encontrar
Sou mulher pra te perder
Sou mulher pra te ofertar
Tudo o que é lindo no meu ser
Pra te amar até morrer

Oh, amor infinito — Oh, vem, meu
        amado senhor
Oh, divina certeza — Matar minha
        sede de amor
Nunca mais a tristeza — Amor, vem
        plantar tua cruz
Quero amar sem mais adeus — Vem
        amar sem mais adeus
Nos braços teus — Nos braços meus

Meu amor infinito
Vamos juntos embora
Na esperança da aurora
Que da noite vai raiar
Meu amor infinito! — Meu amor!
Meu amor, vem amar! — Vem amar!
Vem amar! — Meu amor!
Meu amor! — Vem amar!
Meu amor vai raiar no infinito
Seu tempo de adeus

— Meu amor, vem aos braços meus!

Além do tempo

Vinicius de Moraes - Edu Lobo

Esse amor sem fim, onde andará?
Que eu busco tanto e nunca está
E não me sai do pensamento
Sempre, sempre longe

Esse amor tão lindo que se esconde
Nos confins do não sei onde
Vive em mim além do tempo
Longe, longe, onde?

Por que não me surges nessa hora
Como um sol
Como o sol no mar
Quando vem a aurora

Esse amor que o amor me prometeu
E que até hoje não me deu
Por que não está ao lado meu?

Esse amor sem fim, onde andará?
Esse amor, meu amor,
Onde andará?

Arrastão

Vinicius de Moraes - Edu Lobo

Ê, tem jangada no mar
Ê, iê, iêi
Hoje tem arrastão
Ê, todo mundo pescar
Chega de sombra, João
J'ouviu

Olha o arrastão entrando no mar
sem fim
Ê, meu irmão, me traz Iemanjá pra
mim
Minha Santa Bárbara
Me abençoai
Quero me casar com Janaína

Ê... puxa bem devagar
Ê, iê, iêi, já vem vindo o arrastão
Ê, é a rainha do mar
Vem, vem na rede, João
Pra mim

Valha-me meu Nosso Senhor do
Bonfim
Nunca jamais se viu tanto peixe
assim

Canção do amanhecer

Vinicius de Moraes - Edu Lobo

Ouve
Fecha os olhos, meu amor
É noite ainda
Que silêncio
E nós dois
Na tristeza de depois
A contemplar
O grande céu do adeus

Ah, não existe paz
Quando o adeus existe
E é tão triste
O nosso amor
Oh, vem comigo
Em silêncio

Vem olhar
Esta noite amanhecer
Iluminar
Aos nossos passos tão sozinhos
Todos os caminhos
Todos os carinhos
Vem raiando a madrugada
Música no céu

Canto triste

Vinicius de Moraes - Edu Lobo

Porque sempre foste
A primavera em minha vida
Volta pra mim
Desponta novamente no meu canto
Eu te amo tanto mais
Te quero tanto mais

Ah, quanto tempo faz partiste
Como a primavera que também te
                              viu partir
Sem um adeus sequer
E nada existe mais em minha vida
Como um carinho teu
Como um silêncio teu
Lembro um sorriso teu
Tão triste

Ah, luar sem compaixão
Sempre a vagar no céu
Onde se esconde a minha
                              bem-amada
Onde a minha namorada
Vai, diz a ela minhas penas
E que eu peço, peço apenas
Que ela lembre as nossas horas de
                              poesia
As noites de paixão
E diz-lhe da saudade em que me
                              viste
Que estou sozinho
Que só existe meu canto triste
Na solidão

Cara-de-pau

Vinicius de Moraes - Edu Lobo

Pega aquela muleta!
Pule como perneta!
E onde é que está sua perna de pau?
Chega dessa corcova
Ponha uma bossa nova
E atarracha uma cara de pau
E por todo o caminho
Vá naquele passinho
Devagarinho
Bem de mansinho
Devagarinho
Bem de mansinho

Pregue a orelha na boca
Faça cara de louca
Elimine dois dedos da mão
Ponha um olho de vidro
E um pé dentro do ouvido
Fique sempre a três palmos do chão
E a mão estendida
É uma boa pedida
Grande pedida!
Boa pedida!
Grande pedida!
Boa pedida!

Decididamente

Vinicius de Moraes - Edu Lobo

Decididamente, eu não sou gente
Eu sou um ente incompetente, mal
                              acabado
Eu, infelizmente, não consigo sequer
                        ser um mendigo
Dá tudo errado

Deus, quando me fez, devia estar
                      muito invocado
Ganhou o campeonato de fazer nego
                                sofrer
Urubu pousou na minha sorte
Eu nasci pra boi de corte
Deu cupim no meu viver

Sábado passado, quando eu vinha
Uma zinha "da pontinha"
Fez uma linda carinha para mim
Eu, aí, peguei minha pessoa
E fui andando para a boa
Na esperança de um domingo
                        menos ruim

Pois, amigo, que é que você acha
Vou e levo uma "bolacha"
De um frajola que eu não sei de
                        onde surgiu
E que, além de tudo, não contente
Me mandou apenasmente

Quando você está mesmo sem sorte
Nem a vida e nem a morte
Querem nada de saber de você, não
Você pode estar morto, defunto
E vêm os vermes todos juntos
Lhe pedir pra não seguir a refeição

Chega o dia e a vida está tão chata
Que você pega e se mata
Dá um tiro que parece de canhão
Mas a sua sorte é tão ingrata que ele
                        sai pela culatra
Com licença da expressão

Eu agradeço

Vinicius de Moraes - Edu Lobo

Eu agradeço
Eu agradeço a você
Muito obrigado por toda a beleza
                      que você nos deu
Sua presença, eu reconheço
Foi a melhor recompensa
Que a vida nos ofereceu

Foi muito lindo
Você ter vindo
Sempre ajudando, sorrindo, dizendo
Que não tem de quê

Eu agradeço
Eu agradeço a você
Muito obrigado por toda a beleza
                      que você nos deu
Sua presença, eu reconheço
Foi a melhor recompensa
Que a vida nos ofereceu

Foi muito lindo
Você ter vindo
Sempre ajudando e sorrindo e
                              dizendo
Que não tem de quê

Eu agradeço, eu agradeço
Você ter me virado do avesso
E ensinado a viver
Eu reconheço que não tem preço
Gente que gosta de gente assim feito
                              você

João Não-tem-de-quê

Vinicius de Moraes - Edu Lobo

Se eu me chamo assim
É porque sempre fui educado
A quem me diz "obrigado"
Eu digo "não tem de quê"
Sou um mendigo mais cortês
Que qualquer diplomado
Sou um aristocrata
E só bebo escocês
E o que eu retiro da féria
Na arte de mendigar
É pra sair da miséria
Curtindo um bom caviar

Nossa nobre profissão
Tem por obrigação nos dar muito
lazer
Basta estender a mão

Por isso eu digo a você
Que me pergunta a razão
Por que o amigo João
Se chama "Não-tem-de-quê"
Se assim me chamo é porque
Eu sempre fui educado
A quem me diz "obrigado"
Eu digo "não tem de quê"

Labirinto

Vinicius de Moraes - Edu Lobo

Não me lembro de onde vim
E já nem sei mesmo para onde é que
eu vou
Não conheço o meu caminho
Estou começando a nem saber se
estou
Sou um manequim, eu sou eu sem
mim
Sou um manequim que a vida já
despiu
Que o vento já levou

Dentro deste labirinto
Sinto crescer a minha solidão
Passam braços que me enlaçam
Mãos que me roçam pela escuridão
Que será de mim?
Eu sou eu sem mim
Sou um manequim que vai sem
direção
Em busca de seu fim

Ah, quem me dera coragem
Ah, quem me dera a esperança
Ah, se eu pudesse encontrar o amor
E dizer-lhe que estou ao seu inteiro
dispor

De onde surgem estas luzes?
Cruzes! Que medo, são
assombrações
Sombras que se arrastam lentas
E, pelos espaços, mais estranhos
sons
Estou chegando ao fim, eu sou eu
sem mim
Sou um manequim sozinho e sem
canções
Estou chegando ao fim

Lamento de João

Vinicius de Moraes - Edu Lobo

Cantado

Meu ofício é vir de longe
Chegar tarde, sem tostão
Trabalhar sem fazer força
Ir-me embora sem razão

Vem pensar o meu caminho
Joga encargos onde eu for
Que eu prefiro andar sozinho
Que criar um falso amor

Eu gosto muito de moça
Porém sem misturação
Dez pra ter perto dos olhos
E uma só junto da mão

Queira Deus que ele me desse
Como gratificação
Uma terra brasileira
Pra eu plantar meu coração

Falado

Eu saí cedo de casa. O pai mandava brasa sem parar, e as crianças nasciam, cresciam e morriam, tudo ao mesmo tempo. Saí e fui andando. Às vezes pegava um leito, um mutirão, mas não era o que meu coração pedia. Meu coração pedia sombra, água fresca e colo de moça bonita. Um dia, eu estava tão esmulambado que um cara, sei lá, devia ser louco, meteu a mão no bolso e me passou um Deodoro. Rapaz! Eu não sei como minha mão foi caminhando pra frente, sem me pedir licença. Foi, e de repente ficou assim, parada no ar, de palma pra cima, numa aceitação tão linda que cheguei a ficar com lágrimas nos olhos. Intentei bem naquela mão, naquele gesto, sentindo que ele dava tudo o que eu queria da vida. E foi aí que comecei a trabalhar de mendigo. Verdade que levantei uma "ervinha fofa". Não sei como eu agradava. Isto é, eu sei: por causa do meu modo de pedir, de minha bossa de esmolar, para tornar o doador responsável pela esmola que dava. Aí, veio a mania das viagens, eu me engajava em qualquer navio e partia. Assim, corri o mundo e aprendi a mendigar em muitas línguas. Fui mendigo em Singapura, em Túnis, no Cairo, em Adis Abeba, e por aí. Mas aí deu a saudade do tutu com torresmo, da galinha ao molho pardo, da empadinha de camarão, e eu me mandei de volta. Vim ser um mendigo inserido no meu contexto. Um mendigo subdesenvolvido, ou melhor, em fase de desenvolvimento, como querem os economistas, e estou contente.

Um novo dia

Vinicius de Moraes - Edu Lobo

Um novo dia vem nascendo
Um novo sol já vai raiar
Parece a vida, rompendo em luz
E que nos convida a amar

Oh, meu irmão, não desespera
Espera a luz acontecer
Para que a vida renasça em paz
Nesse novo amanhecer

Surgem as abelhas em zoeira a sugar
            o mel das flores gentis
Param as ovelhas pelo monte, a
            recordar os horizontes felizes
Vindo a distância cantam galos em
            longínquos intervalos de sons
Pombos revoando, vão uivando, vão
            passando nestes céus tão azuis

Ah, quanta cor e luz

E o movimento vai crescendo
Vai aumentando em amplidão
Parece a vida pulsar no ar
O bater de um coração

Sobem pregões vindos da praça
Começa o povo a aparecer
Quem quer comprar neste novo dia
A alegria de viver

O que é que tem
sentido nesta vida

Vinicius de Moraes - Edu Lobo

O que é que tem sentido nesta vida
Não vai ser casa e comida
Cama fofa, cobertor
Não vai ser ficar mirando os astros
Ou então andar de rastros
Pelas sendas do senhor

Para muitos é o dinheiro
Ir de janeiro a janeiro
De pé no acelerador
Eu, sinceramente, preferia
Uma vida de poesia
Na vigília de um amor

Há quem creia em ter status
Sair em fotos & fatos
Ter ações ao portador
Eu só acredito em liberdade
E estar sempre com saudade
De viver um grande amor

Pobre de mim

Vinicius de Moraes - Edu Lobo

Pobre de mim
Sonho tanto em ser alguém que não
                                    sou
Por exemplo, uma mulher toda
                                    assim
Feito a Marilyn Monroe

Já eu, enfim
Não inspiro um grande amor a
                                    ninguém
Na verdade, se eu pareço com
                                    alguém
É o Popeye, the sailorman
Que mau destino
Não agüento este meu ar de menino
Quem me dera casar com um
                                    grã-fino
Ou com um rei, por que não?

Eu não sei a ligação
Eu só sei que dava tudo de mim
Para ao menos parecer Marilyn
E viver um grande amor

Samblues do dinheiro

Vinicius de Moraes - Edu Lobo

Nunca vi muito dinheiro
Trazer felicidade pra ninguém
Nunca vi muito dinheiro
Trazer tranqüilidade pra ninguém

Dinheiro vai!
Dinheiro vai!

Dinheiro pela frente
Dinheiro por de trás
Me diga qual o bem que isto faz
Dinheiro pelo sim
Dinheiro pelo não
No fim são sete palmos de chão

Dinheiro vai!

Dinheiro com dinheiro
Querem se juntar
É só multiplicar e somar
Guerreiro com guerreiro
Só querem guerrear
Só fazem zig zig zig zá

Dinheiro vai!

As coisas são mais fáceis
Pra quem se chama Onassis
Dinheiro pelo sim
Dinheiro pelo não

Dinheiro vai!

Só me fez bem

Vinicius de Moraes - Edu Lobo

Não sei se foi um mal
Não sei se foi um bem
Só sei que me fez bem ao coração
Sofri, você também
Chorei, mas não faz mal
Melhor que ter ninguém
No coração

Foi a vida
Foi o amor quem quis
É melhor viver
Do que ser feliz
Foi tudo natural
Ninguém foi de ninguém
Mas me fez tanto bem
Ao coração

Tá difícil

Vinicius de Moraes - Edu Lobo

Que língua é essa?
Deve ser língua de "estranja"
Essa língua ninguém manja
Que será desses

Tá me pintando que é linguagem de
francês
Isso é língua de inglês ou de doido
lá do hospício

Refrão

É, tá difícil
Tá difícil
Tá difícil
Pode ser, mas tá difícil
Tá difícil de entender
Pra falar isso só mudando de ofício
Porque só quem fala isso é João
"Não-tem-de-quê"

Se eu bem me lembro
Pra ganhar a minha esmola
Tirei curso em muita escola
De Beirute a Bombaim

Já no meu caso
Eu não quis entrar na fila
Fiz meu curso na Socila
Lá na porta do Bonfim

Zambi

Vinicius de Moraes - Edu Lobo

É Zambi no açoite, ei, ei, é Zambi
É Zambi tui, tui, tui, tui, é Zambi
É Zambi na noite, ei, ei, é Zambi
É Zambi tui, tui, tui, tui, é Zambi

Chega de sofrer, ei!
Zambi gritou
Sangue a correr
É a mesma cor
É o mesmo adeus
É a mesma dor

É Zambi se armando, ei, ei, é Zambi
É Zambi tui, tui, tui, tui, é Zambi
É Zambi lutando, ei, ei, é Zambi
É Zambi tui, tui, tui, tui, é Zambi.

Chega de viver, ê
Na escravidão
É o mesmo céu
O mesmo chão
O mesmo amor
Mesma paixão

Ganga-zumba, ei, ei, ei, vai fugir
Vai lutar, tui, tui, tui, tui, com
                              Zambi
E Zambi, gritou ei, ei, meu irmão
Mesmo céu, tui, tui, tui, tui
Mesmo chão

Vem filho meu
Meu capitão
Ganga-zumba
Liberdade
Liberdade
Liberdade
Vem meu filho

E Zambi morrendo, ei, ei, é Zambi
É Zambi, tui, tui, tui, tui, é Zambi
Ganga Zumba, ei, ei, ei, vem aí
Ganga Zumba, tui, tui, tui, é Zambi

Odeon

Vinicius de Moraes - Ernesto Nazaré

Ai, quem me dera
O meu chorinho
Tanto tempo abandonado
E a melancolia que eu sentia
Quando ouvia
Ele fazer tanto chorar
Ai, nem me lembro
Há tanto, tanto
Todo o encanto
De um passado
Que era lindo
Era triste, era bom
Igualzinho a um chorinho
Chamado Odeon

Terçando flauta e cavaquinho
Meu chorinho se desata
Tira da canção do violão
Esse bordão
Que me dá vida
Que me mata
É só carinho
O meu chorinho
Quando pega e chega
Assim devagarzinho
Meia-luz, meia-voz, meio-tom
Meu chorinho chamado Odeon

Ah, vem depressa
Chorinho querido, vem
Mostra a graça
Que o choro sentido tem
Quanto tempo passou
Quanta coisa mudou
Já ninguém chora mais por ninguém

Ah, quem diria que um dia
Chorinho meu, você viria
Com a graça que o amor lhe deu
Pra dizer "não faz mal
Tanto faz, tanto fez
Eu voltei pra ficar com vocês"

Chora bastante meu chorinho
Teu chorinho de saudade
Diz ao bandolim pra não tocar
Tão lindo assim
Porque parece até maldade
Ai, meu chorinho
Eu só queria
Transformar em realidade
A poesia
Ai, que lindo, ai que triste, ai que
                      bom
De um chorinho chamado Odeon

Chorinho antigo, chorinho amigo
Eu até hoje ainda percebo essa ilusão
Essa saudade que vai comigo
E até parece aquela prece
Que sai só do coração
Se eu pudesse recordar
E ser criança
Se eu pudesse renovar
Minha esperança
Se eu pudesse me lembrar
Como se dança
Esse chorinho
Que hoje em dia
Ninguém sabe mais

A arca de Noé

Vinicius de Moraes - Ernst Nahle - Toquinho

Sete em cores, de repente
O arco-íris se desata
Na água límpida e contente
Do ribeirinho da mata

O sol, ao véu transparente
Da chuva de ouro e de prata
Resplandece resplendente
No céu, no chão, na cascata

E abre-se a porta da arca
Lentamente surgem francas
A alegria e as barbas brancas
Do prudente patriarca

Vendo ao longe aquela serra
E as planícies tão verdinhas
Diz Noé: que boa terra
Pra plantar as minhas vinhas

Ora vai, na porta aberta
De repente, vacilante
Surge lenta, longa e incerta
Uma tromba de elefante

E de dentro de um buraco
De uma janela aparece
Uma cara de macaco
Que espia e desaparece

"Os bosques são todos meus!"
Ruge soberbo o leão
"Também sou filho de Deus!"
Um protesta, e o tigre — "Não"

A arca desconjuntada
Parece que vai ruir
Entre os pulos da bicharada
Toda querendo sair

Afinal com muito custo
Indo em fila, aos casais
Uns com raiva, outros com susto
Vão saindo os animais

Os maiores vêm à frente
Trazendo a cabeça erguida
E os fracos, humildemente
Vêm atrás, como na vida

Longe o arco-íris se esvai
E desde que houve essa história
Quando o véu da noite cai
Erguem-se os astros em glória
Enchem o céu de seus caprichos
Em meio à noite calada
Ouve-se a fala dos bichos
Na terra repovoada

Um amor que é só meu

Vinicius de Moraes - Fagner

Amiga
Nem sei como lhe diga
Essa ternura antiga
De repente doeu
Perdoe
Eu sei que não devia
Mas da noite para o dia
O amor aconteceu

E embora doa
De uma dor dilacerante
É um amor tão amante
Tão sozinho se deu, sou eu

Quem sabe
Que mesmo contra tudo
Que forçado a ser mudo
Foi o amor que nasceu
E me deu tanto
Fez as coisas tão mais belas
Abriu tantas janelas
Tudo reverdeceu, e eu

Amiga
Lhe sou tão obrigado
Mas não tenha cuidado (mas não há
                              de ser nada)
É um amor que é só meu

O leão

Vinicius de Moraes - Fagner

Leão! Leão! Leão!
Rugindo como um trovão
Deu um pulo, e era uma vez
Um cabritinho montês

Leão! Leão! Leão!
És o rei da criação

Tua goela é uma fornalha
Teu salto, uma labareda
Tua garra, uma navalha
Cortando a presa na queda
Leão longe, leão perto
Nas areias do deserto
Leão alto, sobranceiro
Junto do despenhadeiro

Leão! Leão! Leão!
És o rei da criação

Leão na caça diurna
Saindo a correr da furna
Leão! Leão! Leão!
Foi Deus quem te fez ou não
Leão! Leão! Leão!
És o rei da criação

O salto do tigre é rápido
Como o raio, mas não há
Tigre no mundo que escape
Do salto que o leão dá

Não conheço quem defronte
O feroz rinoceronte
Pois bem, se ele vê o leão
Foge como um furacão

Leão! Leão! Leão!
És o rei da criação
Leão! Leão! Leão!
Foi Deus quem te fez ou não

Leão se esgueirando à espera
Da passagem de outra fera
Vem um tigre, como um dardo
Cai-lhe em cima o leopardo
E enquanto brigam, tranqüilo
O leão fica olhando aquilo
Quando se cansam, o leão
Mata um com cada mão

Poema ausência

Vinicius de Moraes - Flavio Chamis

Eu deixarei que morra em mim o
    desejo de amar os teus olhos que
                são doces
Porque nada te poderei dar senão a
    mágoa de me veres eternamente
                exausto
No entanto a tua presença é
    qualquer coisa como a luz e a vida
E eu sinto que em meu gesto existe
    o teu gesto e em minha voz a tua
                voz

Não te quero ter porque em meu ser
            tudo estaria terminado
Quero só que surjas em mim como a
            fé nos desesperados
Para que eu possa levar uma gota de
    orvalho desta terra amaldiçoada
Que ficou sobre a minha carne como
           uma nódoa do passado

Eu deixarei... tu irás e encostarás a
        tua face em outra face
Teus dedos enlaçarão outros dedos e
        tu desabrocharás para a
                madrugada
Mas tu não saberás que quem te
    colheu fui eu, porque eu fui o
        grande íntimo da noite
Porque eu encostei minha face na
    face da noite e ouvi a tua fala
                amorosa
Porque meus dedos enlaçaram os
dedos da névoa suspensos no espaço
E eu trouxe até mim a misteriosa
        essência do teu abandono
            desordenado

Eu ficarei só como os veleiros nos
            portos silenciosos
Mas eu te possuirei mais que
    ninguém porque poderei partir
E todas as lamentações do mar, do
vento, do céu, das aves, das estrelas
Serão a tua voz presente, a tua voz
    ausente, a tua voz serenizada

Anoiteceu

Vinicius de Moraes - Francis Hime

A luz morreu
O céu perdeu a cor
Anoiteceu
No nosso grande amor
A luz morreu
O céu perdeu a cor
Anoiteceu
No nosso grande amor
No nosso grande amor

Ah, leva a solidão de mim
Tira esse amor dos olhos meus
Tira a tristeza ruim do adeus
Que ficou em mim, que não sai de
                mim
Pelo amor de Deus
Vem suavizar a dor
Dessa paixão que anoiteceu
Vem e apaga do corpo meu
Cada beijo seu
Porque foi assim
Que ela me enlouqueceu
Fatal
Cruel, cruel demais

Mas não faz mal
Quem ama não tem paz
Mas não faz mal
Quem ama não tem paz
Quem ama não tem paz
Quem ama não tem paz

A dor a mais

Vinicius de Moraes - Francis Hime

Foi só muito amor
Muito amor demais
Foi tanta a paixão
Que o meu coração, amor
Nem soube mais
Inventei a dor
E como ela nos doeu

Ah, que solidão buscar perdão
No corpo teu
Tanto tempo faz
Tens um outro amor, eu sei
Mas nunca terás
A dor a mais
Como eu te dei
Porque a dor a mais
Só na paixão
Com que eu te amei

Felicidade

Vinicius de Moraes - Francis Hime

Felicidade
É o meu carnaval
Quanto toda essa luz e cor
E o amor é natural

Felicidade
É o samba que eu fiz
E que ouço feliz a cantar
Esse povo infeliz

Abre os teus braços
Vem brincar nos braços meus
Hoje é só no faz-de-conta
No carnaval não existe adeus

Maria

Vinicius de Moraes - Francis Hime

Hoje, amada minha
Hoje no céu a lua
Parecia a imagem tua
Toda nua
Toda nua, ai, Maria
Coisa pura, coisa impura
Coisa cheia de doçura e mais linda
Coisa linda, linda, linda, linda
Deixa eu te dizer, amor
Como é linda a tua cor
Linda é a poesia que tem o nome de
                              Maria
Carregadinha de flor
Lindo é teu langor
Ah, como eu queria
Ouvir só Maria
É tudo lindo
É tudo amor

Nosso amor, nossa cidade

Vinicius de Moraes - Francis Hime

Vem, amor, vamos em frente
Sem ligar pra essa gente
Que de amor só sabe mesmo é
                              conversar
Desde quatrocentos anos
Milhões de seres humanos
Vêm fazendo esta cidade para eu te
                              amar

Vem, vamos ver o mar
Vamos namorar desde Ipanema até o
                              Leblon
Vem, vamos sempre indo
Vê que luar mais lindo!
Olha só o Corcovado
Com o Cristo iluminado
Parecendo nosso amor abençoar
Nosso amor, nossa cidade
Que já tem anos de idade
Quatrocentos de perdão para nos
                              dar

Saudade de amar

Vinicius de Moraes - Francis Hime

Deixa eu te dizer, amor
Que não deves partir
Partir nunca mais
Pois o tempo sem amor
É uma dura ilusão
E não volta mais

Se tu pudesses compreender
A solidão que é
Te buscar por aí
Andando devagar
A vagar por aí
Andando devagar
A vagar por aí
Chorando a tua ausência
Vence a tua solidão
Abre os braços e vem
Meus dias são teus
É tão triste se perder
Tanto tempo de amor
Sem hora de adeus

Oh, volta
Que nos braços meus
Não haverá adeus
Nem saudade de amar
E os dois, sorrindo a soluçar
Partiremos depois

Grande paixão

Vinicius de Moraes - Francisco Enoé

Sofro por ti meu amor
Grande paixão
Grande paixão
Longe de ti tudo é só
Desilusão

Ai quem me dera
Ai quem me dera
O teu langor
A primavera
A primavera
É toda em flor

Retorna a mim esquecida
Que existe o adeus
E vem jazer
Morta enfim
Nos braços meus

Ah, minha amada
Sem fim
Na solidão
Volta que dói
Tanto em mim
Grande paixão

Sem mais adeus

Vinicius de Moraes - Francis Hime

Vim, cheio de saudade
Cheio de coisas lindas pra dizer
Vim porque sentia
Que nada existia fora de você
Nem a poesia, amor
Na sua ausência quis me receber
Vim banhado em pranto
Eu te amo tanto
Vem
Vem aos braços meus
Sem mais adeus
Oh, vem

Lugar que não tem

Vinicius de Moraes - Francisco Enoé

Ai, meu amor, que saudade
De um lugar que não tem
Onde o amor é verdade
E a saudade não vem

Morro de amor
Por um lugar
Distante, meu bem
E uma voz que cante
Uma só balada sem fim
Um lugar assim
Onde tudo
Encante, meu bem

Eu só por você
E você também
Só por mim

Ilha perdida
A estrela de Vênus
São para mim
Mais ou menos iguais
Tanto me faz

Desde que seja você
A vir comigo morar
Pra me namorar

E me dar
Um mundo de paz

Passe bem

Vinicius de Moraes - Francisco Enoé

Nem adeus
Ela quis me dar
Quando partiu

E arrependida
Fala em voltar pra mim

Mas eu, não vê
Não me rebaixo com ninguém
Não
Acho que um amor
Assim tão sem coração

Não vai
Não me convém
Se ela quis ir
Passe bem
Não vai

Por você

Vinicius de Moraes - Francisco Enoé

Se você quiser a lua
Eu lhe digo: Tome, é sua
Porque eu fiz a lua pra você

Se você quiser a estrela da manhã
Amanhã mesmo
Eu pego e mando pra você

Por você todas as flores
Exibiram novas cores
Tudo pura inveja de você

E milhões de passarinhos
Nos seus ninhos
Compuseram
Este lindo iê-iê-iê

Por você, senhorazinha, menina
Que mais linda não vai ter nunca
                                        mais
E que além de ser pra frente
Barra-limpa
E papo-firme por demais (por
                                        demais)

Por você, se for o caso
Eu lhe juro
Que me caso, meu amor
Eu caso com você

É um atraso
Mas eu caso
Porque estou perdidamente
                                apaixonado
Por você

São só três dias

Vinicius de Moraes - Francisco Enoé

Cada vez que eu considero
Como é triste se viver
Meu desejo mais sincero
É brincar pra esquecer
É mostrar a toda gente
Que a alegria não faz mal
É dizer vamos em frente
Porque tudo é natural
Deixa andar

Bate o bumbo, oi
Toca o pandeiro
A cuíca, oi
E o tamborim

Vamos sair pela cidade
Cada um com cada qual
São só três dias
De felicidade
Vamos porque hoje
É carnaval

Taquicardia

Vinicius de Moraes - Francisco Enoé

Quando ela vem
Cheia de onda
Pela praia
Numa minissaia
Que fica bem pra cima
Do conveniente
Eu fico só
Tibum, tibum, tibum
Meu coração parou
Meu bem, não faça assim
Porque senão eu vou
Morrer de amor

Ela prefere o iê-iê-iê
A bossa nova
E ainda prova
Quando ela dança
No Zum-Zum
Até o dia amanhecer
Tudo que eu sei dizer
É a taquicardia
Que a menina me traz
Fica na cabeça
Um tremendo zum, zum
Fica o coração
Paratibum, bum
Isso não se faz
Isso não se faz
Isso não se faz

Viva o amor

Vinicius de Moraes - Francisco Enoé
- João Bosco

É tempo, amor
É hora
Não demora
Por favor
Tristeza a gente chora
Mas agora
Viva o amor

Agora é o carnaval
É hora de mandar ver
Por que resistir
Pra que duvidar
Veja lá
Quem resolve é você
Meu amor

Je suis une guitarre

Vinicius de Moraes - Georges Moustakis
- Toquinho

Je suis une guitarre
Très comme il faut
Prévue pour les concerts
À Pleyel ou à Gaveau
Je suis faite en palissandre
Pour la musique de chambre
Sous les doigts d'Andrès ou Narciso

Pourquoi faut-il
Que le Brésil
Vienne en secret
Me murmurer
Des mots pleins de fantaisie
Sur une étrange mélodie
Qui tout d'un coup insinue le
                              samba...
Et voici Vivaldi qui se déhanche
Cherchant sa cadence à Ipanema
Parbleu! Mes airs anciens non plus
                              de sens
Loin de la vieille France à Bahia

Rosa de Hiroshima

Vinicius de Moraes - Gerson Conrad

Pensem nas crianças
Mudas telepáticas
Pensem nas meninas
Cegas inexatas
Pensem nas mulheres
Rotas alteradas
Pensem nas feridas
Como rosas cálidas
Mas oh não se esqueçam
Da rosa da rosa
Da rosa de Hiroshima
A rosa hereditária
A rosa radioativa
Estúpida e inválida
A rosa com cirrose
A anti-rosa atômica
Sem cor sem perfume
Sem rosa sem nada

O pintinho

Vinicius de Moraes - Gilda Mattoso -
Pipo Caruso - Sérgio Bardotti - Toquinho

Pintinho novo
Pintinho tonto
Não estás no ponto
Volta pro ovo
Eu não me calo
Falo de novo
Não banque o galo
Volta pro ovo
A tia raposa
Não marca touca
Tá só te olhando
Com água na boca
E se ligeiro você escapar
Tem um granjeiro
Que vai te adotar

O meu ovo está estreitinho
Já me sinto um galetinho
Já posso sair sozinho
Eu já sou dono de mim
Vou ciscar pela cidade
Grão-de-bico em quantidade
Muito milho e liberdade
Por fim

Pintinho raro
Pintinho novo
Tá tudo caro
Volta pro ovo
E o tempo inteiro
Terás pintinho
Um cozinheiro
No teu caminho
Por isso eu digo
E falo de novo
Pintinho amigo
Então volta pro ovo
Se de repente você escapar
Num forno quente você vai parar

Gosto muito dessa vida
Ensopada ou cozida
Até assada é divertida
Com salada e aipim
Tudo lindo, a vida é bela
Mesmo sendo à cabidela
Pois será numa panela
Meu fim

Por isso eu digo
E falo de novo
Pintinho amigo
Então volta pro ovo
E se ligeiro você escapar
Tem um granjeiro
Que vai te adotar

O beijo que você não quis dar

Vinicius de Moraes - Haroldo Tapajós

Eu não sei por quê
Você se zangou
Foi um beijo só que eu pedi
Tudo me fazia crer que você
                    concedia

E você me negou
Se você soubesse
O mal que me fez
Você não negava outra vez
Quase me ponho a chorar
Pela falta do beijo
Que você não quis dar

O que é um beijozinho à-toa
Pra você querer negar
Você que sempre foi tão boa?

Da próxima vez
Quando eu lhe pedir
Se você ainda teimar
Tome cuidado, menina, porque sou
                    capaz
Do beijo lhe roubar
E eu sei que depois
Você vai gostar
E sempre vai querer bisar
Porque o amor que se tem
Só o beijo, querida
Traduz muito bem

Canção para alguém

Vinicius de Moraes - Haroldo Tapajós

Foste na minha vida
Alguém que apareceu
Para findar a dor
Foste a mulher querida
Que o destino me deu
Para viver de amor
Foste esperança e magia
Sinceridade e poesia

Ponho nesta canção
Toda a minha emoção
Toda a sublimação do meu amor
Nela vai ternamente
O beijo mais ardente
Para a beleza da tua boca em flor
Eu a compus chorando
Nas noites cheias de luar
E tem a sinceridade
Que vive no meu olhar
Junto a ti deposita
A saudade infinita
Que eternamente habita em meu
                    coração

Ela é tristeza... recordação

Dobrado de amor a São Paulo

Vinicius de Moraes - Haroldo Tapajós

São Paulo, quatrocentos anos
E eu, coitada
Quatrocentos desenganos de amor

Eu daqui não saio mais, de São
                    Paulo
Isto aqui está bom demais, em São
                    Paulo
Ai, que bem isto me faz

Se o frio aperta eu pego o cobertor
Abraço mais o meu amor
E vou até de manhã, em São Paulo

Isto aqui está bom demais, em São
                    Paulo
Eu daqui não saio mais, de São
                    Paulo
Ai, que bem isto me faz

Chuva, garoa, ventania
Troca a noite pelo dia
O tempo passa devagar
Sinto um bem-estar no coração
Vem o dia
E o sol me encontra
Na avenida São João

Doce ilusão

Vinicius de Moraes - Haroldo Tapajós

Quando fitei sobre você
Meu tristonho olhar
Sob a luz plangente e suave deste
                                luar
Julguei sonhar, querida
Por toda a minha vida
Lá no céu a lua brilhava cheia de
                                amor
Soluçava ao longe a viola de um
                                trovador
E eu jurei sempre amar e sempre
                                viver
Só por você
Por você, por você, querida

Jamais hei de me esquecer, meu
                                amor
O ardor daquele beijo
Quando sentindo na mão doce
                                langor
Que teve esse primeiro ensejo
Guardei bem no fundo do coração
Essa doce ilusão
Que foi para mim, querida
Não só um sonho lindo
Mas a própria vida

Loura ou morena

Vinicius de Moraes - Haroldo Tapajós

Se por acaso o amor me agarrar
Quero uma loira pra namorar
Corpo bem feito, magro e perfeito
E o azul do céu no olhar
Quero também que saiba dançar
Que seja clara como o luar
Se isso se der
Posso dizer que amo uma mulher

Mas se uma loura eu não encontrar
Uma morena é o tom
Uma pequena, linda morena
Meu Deus, que bom
Uma morena era o ideal
Mas a loirinha não era mau
Cabelo louro vale um tesouro
É um tipo fenomenal
Cabelos negros têm seu lugar
Pele morena convida a amar
Que vou fazer?

Ah, eu não sei como é que vai ser
Olho as mulheres, que desespero
Que desespero de amor
É a loirinha, é a moreninha
Meu Deus, que horror!
Se da morena vou me lembrar
Logo na loura fico a pensar
Louras, morenas
Eu quero apenas a todas glorificar
Sou bem constante no amor leal
Louras, morenas, sois o ideal
Haja o que houver
Eu amo em todas somente a mulher

Namorado da lua

Vinicius de Moraes - Haroldo Tapajós

Lua
Linda!
Tens na carne nua
Uma volúpia infinda!
Linda
Lua!
A minh'alma é tua
E é minha a tu'alma, oh, lua

Quando no céu te vejo
Sinto um louco desejo
De possuir teu beijo, oh, lua amada
Te sinto, oh, lua ardente
Tão bela e tão presente
Como se fosse minha namorada!

O canto apaixonado é um lindo
                verso de amor
Que um dia, vendo a lua, eu lhe
                compus, sonhador
A minha lua triste, a minha doce
                paixão
Oh, lua do meu coração
Oh, lua merencória cheia de amor e
                luz
Que traduz beleza e que saudade
                traduz
A minh'alma é tua
E é minha a tu'alma, oh, lua

O nosso amor de criança

Vinicius de Moraes - Haroldo Tapajós

Há pouco me lembrei
Do beijo que eu furtei
Você era menina ainda
Eu era uma criança
Mas guardo na lembraça
Que você era loura e linda
Você ficou zangada
Me olhou ruborizada
E desmanchou o nosso noivado
Bom tempo que passou!
Mas n'alma me ficou
Que eu era só seu namorado

Depois findou
O amor murchou
O nosso amor de criança!
Você está linda
E eu guardo ainda
Uma suave esperança!

E agora o meu desejo
De furtar outro beijo
Nada mais é que um vago intento
Talvez que seja cedo
E tenho um certo medo
De pecar por pensamento
Eu penso cá comigo
Que um beijo é um perigo
E pode trazer outros mais
E além disso tudo
Você não é mais criança
E eu também já sou rapaz

Onde anda você

Vinicius de Moraes - Hermano Silva
- Toquinho

E por falar em saudade
Onde anda você
Onde andam os seus olhos
Que a gente não vê
Onde anda esse corpo
Que me deixou morto
De tanto prazer

E por falar em beleza
Onde anda a canção
Que se ouvia na noite
Dos bares de então
Onde a gente ficava
Onde a gente se amava
Em total solidão

Hoje eu saio na noite vazia
Numa boemia sem razão de ser
Na rotina dos bares
Que apesar dos pesares
Me trazem você

E por falar em paixão
Em razão de viver
Você bem que podia me aparecer
Nesses mesmos lugares
Na noite, nos bares
Onde anda você

Saudades do Brasil em Portugal

Vinicius de Moraes - Homem Cristo

O sal das minhas lágrimas de amor
Criou o mar que existe entre nós
          dois
Para nos unir e separar
Pudesse eu te dizer
A dor que dói dentro de mim
Que mói meu coração nesta paixão
Que não tem fim
Ausência tão cruel
Saudade tão fatal
Saudades do Brasil em Portugal
Meu bem, sempre que ouvires um
          lamento
Crescer desolador na voz do vento
Sou eu em solidão pensando em ti
Chorando todo o tempo que perdi

Pergunte a você

Vinicius de Moraes - Ian Guest

Não pergunte por quê
Se tudo o que é lindo
Existe em você
Não pergunte por quê
Aceite sorrindo
O que aconteceu
Tão simplesmente

Amor, quem vai nos dizer por quê
As manhãs se desnudam ao sol
E o mar vem nas praias morrer
Não pergunte por quê
Ou antes, pergunte
Pergunte a você

Tempo de solidão

Vinicius de Moraes - Ian Guest

Há o tempo e o contratempo
A felicidade e a dor
Eu por mim não tenho tempo
O meu tempo é só de amor

Sei que existe muita gente
Que não tem mais tempo a perder
Já comigo é diferente
Só o amor me faz viver
Eu não sei viver
Sem sofrer por alguém
Hoje, por exemplo
Eu não tenho ninguém

E é por isso que estou triste
Triste como esta canção
Hoje eu sei que o tempo existe
Hoje é tudo solidão

O mais-que-perfeito

Vinicius de Moraes - Jards Macalé

Ah, quem me dera
Ir-me contigo agora
A um horizonte firme, comum
Embora amar-te
Ah, quem me dera amar-te
Sem mais ciúmes
De alguém em algum lugar
Que nem presumes

Ah, quem me dera ver-te
Sempre a meu lado
Sem precisar dizer-te
Jamais contado
Ah, quem me dera ter-te
Como um lugar
Plantado num chão verde
Para eu morar-te

Ah, quem me dera ter-te
Morar-te até morrer-te

Dor de uma saudade

Vinicius de Moraes - José Medina

Por que não vens acalmar
Minha imensa dor?
Pois tu és o meu sonhar
Todo o meu amor

Ai, a solidão do mar
A magia de um luar
Que de ti
Me faz lembrar

E quando o teu lindo olhar
Muito longe a me fitar
Conjugando o verbo amar

Só ficou felicidade
Só tristezas e uma saudade

Nada mais que uma ilusão
Dentro do meu coração
Em toda velha paixão

Hoje na alma vazia
Tem uma imensa nostalgia
De quem não tem alegria

Algum lugar

Vinicius de Moraes - Marília Medalha

Meu amor
Não posso mais
Viver aqui
Não tenho paz
Eu quero ir
Pra algum lugar
Pra algum lugar
Pra algum lugar
E ser feliz
Ouvir o mar
E amar

Meu amor
Vamos fugir
Vou me mandar
Não quero mais
Viver sem ar
Me poluir
Me poluir
Me poluir
Ter que me dar
Com quem não sabe
Amar

Não sei mais pr'onde ir
Pasárgada ou Shangri-lá
Será que há por aqui
Algum lugar, eu sei lá
Pra gente amar
E aquela estrela ali
Podia bem ser um bar
Pra ir é só curtir
E escalar o luar
Bem devagar

Meu amor
Tem que ser já
Eu vou sumir
Sair daqui
Vou te levar
Pra algum lugar
Pra algum lugar
Pra algum lugar
E sempre só
Você e eu
E o mar

Ausência

Vinicius de Moraes - Marília Medalha

Deixa secar no meu rosto
Esse pranto de amor que a presença
                              desatou
Deixa passar o desgosto
Esse gosto da ausência que me
                              restou
Eu tinha feito da saudade
A minha amiga mais constante
E ela a cada instante
Me pedia pra esperar

E foi tudo o que eu fiz, te esperei
                              tanto
Tão sozinha no meu canto
Tendo apenas o meu canto pra
                              cantar
Por isso deixa que o meu
                              pensamento
Ainda lembre um momento a
                              saudade que eu vivi
A tua imagem fiel
Que hoje volta ao meu lado
E que eu sinto que perdi

Canção da
canção que nasceu

Vinicius de Moraes - Marília Medalha

Eu não via
Nada senão teu olhar
Só havia
O nosso amor pra cuidar
Parecia
Uma infinita canção
Até que um dia
Houve uma separação

Foi aí, amor
Que em mim a vida renasceu
E a luz do nosso grande amor
Foi indo e desapareceu

Foi aí, amor
Que uma outra luz transpareceu
E eu vi o mundo todo em cor
E nesse mundo havia eu:
E uma canção
De mim nasceu

Canção para
o grande amor

Vinicius de Moraes - Marília Medalha

Despedi o grande amor de mim
Dizendo assim: grande amor
Não se esqueça de voltar

Porque a dor do amor que teve fim
Que foi ruim, sei que sim
Outro amor há de apagar

E há de ser sempre assim:
Minha casa aberta
E na mesa posta um talher a mais
Um cinzeiro a mais
E no seu lugar a mesma mulher a
                              esperar

A mesma mulher pronta pra dizer
Entre, por favor, quando alguém
                              surgir
Quando alguém chegar
Pode ser o amor, pode ser a dor,
                              pode ser...

Preciso ter muitas rosas para receber
O grande amor
Quando for
Sua hora de voltar

O grande apelo

Vinicius de Moraes - Marília Medalha

Uma tarde na Bahia, amor
Perdi a minha paz
A saudade que eu sentia, amor
Doía, amor, demais

Mas o vento em meus cabelos
Era um lamento
Cheio de apelos
E no vento eu pressentia, amor
Que eu ia, amor, amar
Ao sol, no mar, no mar

Meu tempo

Vinicius de Moraes - Marília Medalha

Minha sorte está lançada
Eu sou, eu sou a estrada
Eu vou, eu sou levada
Eu sou, eu vou partida
Contra o grande nada — lá vou eu!
Ao romper da madrugada
O sol no pensamento
E o tempo contra o vento
E a minha voz alçada
Contra o grande nada — lá vou eu!

"Quem vem lá?" Pergunta a solidão
"Sou eu!"
Sou eu que vou porque o meu
                tempo nasceu!

Entre os ecos do infinito
Eu grito, eu mato a solidão
Eu sou meu tempo, eu vou
A ferro e fogo, eu corro
Eu vou, eu canto e grito: amor!
Eu vou, eu vou, eu canto e grito:
                amor!

Moinho d'água

Vinicius de Moraes - Marília Medalha

Longe o céu, e no horizonte além
Há como um luar, é a aurora que já
                vem
Vou pelo campo em flor, tão só, só
                eu
E a solidão

E numa curva do caminho
Vejo uma velha moenda
Girando, girando o seu moinho

Mói, velho moinho, o grão
Mói a minha solidão
Bate o teu pilão sem fim
Faz um pão de amor pra mim

Mr. Toquinho

Vinicius de Moraes - Marília Medalha

Mr. Toquinho, bring your guitar
                along
The city is lonely and foggy
Let's send our troubles to the deuce
Let's sing a song to love in the
                making
In the aching, in the breaking
In this God forsaken blues

Mr. guitarman, let's go and get a
                bottle
Ought to forget all forgiveness
I'm just another weary soul
No use pretending, got to face it
Got to exit, understanding
That I'll just have to end in the
                blues

Quem ri melhor

Vinicius de Moraes - Marília Medalha

Se você está pensando
Que eu estou me importando
Claro que eu estou
Eu não sou feito essa gente
Que ama e de repente
Tchau, e se acabou
Não, eu sofri muito, demais
Porque a minha grande paz
Vinha toda de você
É, pus você alto demais
Com cuidados tão legais
Que nem vi você descer

Mas a gente continua
Sai e anda na rua
Entre a multidão
Os amigos dão mão forte
E há nada que conforte
Mais que o violão
É, vou cuidar melhor de mim
Vou fazer meu samba assim
Bem alegre e natural
É, você vai saber de mim
Muita nota no Ibrahim
Muito nome no jornal

Ri melhor quem ri no fim
Melhor quem ri no fim
Melhor quem ri no fim

Se o amor pudesse

Vinicius de Moraes - Marília Medalha

Se o amor pudesse de repente
                    compreender
Toda a loucura que um amor pode
                    conter
Se ele pudesse, num momento de
                    razão
Saber ao menos quanto dói uma
                    paixão

Quem sabe o amor, ao descobrir a
                    dor de amar
Partisse embora para nunca mais
                    voltar

Mas me parece que uma prece ia
                    nascer
Na voz daqueles que o amor mais
                    fez sofrer
A lhe dizer que vale mais morrer de
                    dor
Do que viver num paraíso sem amor

Sem razão de ser

Vinicius de Moraes - Marília Medalha

Uma rosa num vaso a pender
Um amor a tentar esquecer
E longe os ruídos da cidade
E o rumor de uma saudade
Que não quer se convencer

E a sensação de um beijo em meus
                    cabelos
Recordação que lentamente se desfaz
Um encontro tão lindo de amor
Que mal nasceu começa a se pôr

E a casa tão amiga dos teus passos
Tão vazia dos abraços
Que me davam tanta paz
Onde eu vivi grande desespero
De ver morrer tudo que dei
E não darei jamais

Valsa para o ausente

Vinicius de Moraes - Marília Medalha

Procura ouvir
A minha voz
Na tua solidão

Procura ver
Meu corpo a sós
Arder na escuridão

Procura, amor
Em tua dor
Sentir o pranto meu
Aqui estou eu
A te esperar
Com tudo que foi teu
Não tardes mais
Que as tardes más
Já vão anoitecer

Xaxado de espantar tristeza

Vinicius de Moraes - Marília Medalha

É meu xaxado de espantar tristeza
É meu xaxado de espantar tristeza
É meu xaxado de espantar tristeza
É meu xaxado de espantar tristeza
Té a chuva chegar

Seca braba assim
Nem a de sessenta
Tivemos que vim
Mas ninguém agüenta
A saudade é tanta
Um nó na garganta
Mas água não tem
Nem pra chorar
Ah, se uma chuvinha
Desse pra molhar
Eu não tava assim
Tendo de cantar

É meu xaxado de espantar tristeza
É meu xaxado de espantar tristeza
É meu xaxado de espantar tristeza
É meu xaxado de espantar tristeza
Té a chuva chegar

No primeiro verde
Eu volto pra lá
Roço o meu roçado
Garro de plantar
Quando o milho der
E o leite jorrar
Pego na mulher
Ponho pra engordar
Tomo da viola
Disparo a cantar
Ganho o que puder
Fico até voltar

É meu xaxado de espantar tristeza
É meu xaxado de espantar tristeza
É meu xaxado de espantar tristeza
É meu xaxado de espantar tristeza
Té a chuva chegar

Lembre-se

Vinicius de Moraes - Moacir Santos

Lembre-se sempre de mim
Lembre-se sempre do nosso amor
Lembre, meu bem, de que sem calor
O amor também tem fim

Tudo na vida tem fim
Só a beleza não se desfaz
A flor colhida com mais amor
É a flor que dura mais

Quando a lua pelo céu surgir
Não se esqueça, por favor, de ouvir
As minhas canções, são tantas
                              canções
Que eu triste vivia a compor

Lembre-se também de que ninguém
Jamais recebeu tanto amor

Menino travesso

Vinicius de Moraes - Moacir Santos

Ai, ai, ai, seu menininho
Onde é que já se viu
Você é o menininho
Mais travesso do Brasil

Puxe já, já para dentro
Seu feio
Que senão eu vou contar
Pra sua mãe, você vai ver
E ela vai lhe castigar
Que eu sei
Seu pai também não vai gostar
Que eu sei

Venha cá, seu menininho
Não precisa mais chorar
Se você ficar bonzinho
Eu prometo não contar

Vá pra casa direitinho
Porque
Se você não for já, já
Eu vou contar, juro que vou
Então vai ser muito pam-pam
No seu popô

Se você disser que sim

Vinicius de Moraes - Moacir Santos

Se você disser que sim
Que bom vai ser!
Vou ficar daqui rezando
Para acontecer assim
Pra tudo correr bem
Até quem sabe lá
Você gostar de mim

Se acaso você não quiser se opor
Pode até um grande amor nascer
Prometo que vai ser tão lindo
Que você vai querer mais (muito mais)
Você vai ver

Triste de quem

Vinicius de Moraes - Moacir Santos

Triste de quem
Numa vida sem lembrança
Não tem ninguém
Nem sequer uma esperança tem

Não guardou uma rosa
Dentro de um livro antigo
Nunca teve um amigo
Nunca disse ''meu bem''

Triste de quem
Não viveu uma canção de amor
E não chorou
Toda a dor de uma separação

E por não ter plantado
Nem amor nem carinho
No final do caminho
Só colheu solidão

Acalanto pra embalar Lupicínio

Vinicius de Moraes - Mutinho

Amigo meu, você partiu
Você transpôs a escuridão
Seu violão emudeceu
E a morte te envolveu
E te beijou
E foi levando pela mão

Amigo meu, só coração
Sua paixão chegou ao fim
E o que era dor
Se fez canção
Se eternizou enfim
E todo o seu amor
Amanheceu em mim

Você mais do que ninguém
Foi quem soube o que é ter um
                                amor
Você mais do que ninguém
Teve instantes de morte e de dor
Você que em seu desespero
Clamou vingança no seu coração
Você dizendo que sim, todo o tempo
E ele dizendo que não

Amigo meu, vocé se deu
Você viveu só para amar
Cada mulher foi verso seu
Foi música no ar
No velho cabaré
Que agora vai fechar

Amigo porteño

Vinicius de Moraes - Mutinho

Amigo porteño si ves por la calle
Una chica morena
Con ojos ardientes
Y un aire de alguien
Que quiere volar
Parala y decile
Que existe un poeta
Que muere de celos
Y que ojos ajenos
Se llenan de sueños
Al verla pasar
Decile mi amigo
Tu que solo llevas
El tango en las venas
Decile porteño
Que yo simplemente
Ya no puedo mas

Busca convencerla
Que tengo mi pecho de amor tan
                                herido
Que sin su mirada
Mi siento perdido
Que mucho le pido
Me vuelve a mirar
Gritale en la calle
Que existe un poeta
Que le hace um pedido
Que solo le pido
Que olvides el olvido
Porque quien lo busca
No puede olvidar

Até rolar pelo chão

Vinicius de Moraes - Mutinho

Não quero entrar
Para não ter que sair
Porque se eu der de sambar
Ninguém me tira daqui

Vou balançar
Até meu corpo cair
Meu pé vai dar o que falar
Não vejo ninguém pra ir

Nada de par
Pra me empatar, não
Hoje eu só quero
É me espalhar no salão

Mas deixa estar
Não vou fazer confusão
Tudo que eu quero é sambar
Até rolar pelo chão

Valsa dos músicos

Vinicius de Moraes - Mutinho

Nós somos uma só família
Uma ilha feita de amor
Feita de dor
Mas vejam bem que maravilha
Esta ilha está na trilha do seu lar
Na sala de jantar
Na vida escolar de sua filha
Que quer crescer e amar
Ao som daquele rádio
Que só com quatro pilhas
Vive a embalar o sono do bebê
E da babá

Nós somos uma só tristeza
E a beleza é a nossa eterna
                              namorada
A nossa casa é a madrugada
Por aí, sempre à procura de um
                              lugar
Sem hora de partir
Um lugar qualquer de onde subir
Para o infinito astral
Pelos degraus de um som
De onde se jogar
Voar, sumir
Quem sabe até morrer
Sonhar, dormir

Sempre à procura de um lugar
Sem hora de partir
Um lugar qualquer de onde subir
Para o infinito astral
Pelos degraus de um som
De onde se jogar
Voar, sumir
Quem sabe até morrer
Sonhar, dormir

Ai de quem ama

Vinicius de Moraes - Nilo Queiroz

Quanta tristeza
Há nesta vida
Só incerteza
Só despedida

Amar é triste
O que é que existe?
O amor

Ama, canta,
Sofre tanta
Tanta saudade
Do seu carinho
Quanta saudade

Amar sozinho
Ai de quem ama
Vive dizendo
Adeus, adeus

Se ela chamar eu vou

Vinicius de Moraes - Nilo Queiroz

Ela me maltratou
Ela não era assim
Saiu e não voltou
Falou que era o fim
Eu estou danado da vida
Ah, isso lá eu estou
Mas ela é minha querida
Se ela chamar eu vou

Sem ela eu fico triste
Sozinho e sem amor
Sem ela nada existe
Se ela chamar eu vou

Choro chorado
pra Paulinho Nogueira

Vinicius de Moraes - Paulinho Nogueira
- Toquinho

Quanta saudade antiga
Quanta recordação
O toque paciente
De tua mão amiga
Me ensinando os caminhos
Corrigindo os defeitos
Dando todos os jeitos
Pras notas brotarem
Do meu violão

Ah, como eu me lembro ainda
Cheio de gratidão
A hora entardecente
A nostalgia infinda
No modesto ambiente
Da casinha da praça
E eu em estado de graça
De estar aprendendo a tocar violão

E hoje nós dois
Tempos depois
Damos com nova emoção
Um novo aperto de mão
Neste chorinho chorado juntos
E que tomara renasça em muitos

Pois a maior alegria
É chorar de parceria
Num chorinho que é só coração
E relembrar que o passado
Vive num choro chorado
Pelo teu e o meu violão

A formiga

Vinicius de Moraes - Paulo Soledade

As coisas devem ser bem grandes
Pra formiga pequenina
A rosa, um lindo palácio
E o espinho, uma espada fina

A gota d'água, um manso lago
O pingo de chuva, um mar
Onde um pauzinho boiando
É navio a navegar

O bico de pão, o corcovado
O grilo, um rinoceronte
Uns grãos de sal derramados,
Ovelhinhas pelo monte

O pato

Vinicius de Moraes - Paulo Soledade
- Toquinho

Lá vem o pato
Pata aqui, pata acolá
Lá vem o pato
Para ver o que é que há

O pato pateta
Pintou o caneco
Surrou a galinha
Bateu no marreco
Pulou do poleiro
No pé do cavalo
Levou um coice
Criou um galo
Comeu um pedaço
De genipapo
Ficou engasgado
Com dor no papo
Caiu no poço
Quebrou a tigela
Tantas fez o moço
Que foi pra panela

O peru

Vinicius de Moraes - Paulo Soledade
- Toquinho

Glu! Glu! Glu!
Abram alas pro peru!
Glu! Glu! Glu!
Abram alas pro peru!

O peru foi a passeio
Pensando que era pavão
Tico-tico riu-se tanto
Que morreu de congestão

O peru dança de roda
Numa roda de carvão
Quando acaba fica tonto
De quase cair no chão

O peru se viu um dia
Nas águas do ribeirão
Foi-se olhando, foi dizendo
Que beleza de pavão

Foi dormir e teve um sonho
Logo que o sol se escondeu
Que sua cauda tinha cores
Como a desse amigo seu

O pingüim

Vinicius de Moraes - Paulo Soledade

Bom dia, pingüim
Onde vai assim
Com ar apressado?
Eu não sou malvado
Não fique assustado
Com medo de mim
Eu só gostaria
De dar um tapinha
No seu chapéu jaca
Ou bem de levinho
Puxar o rabinho
Da sua casaca

Quando você caminha
Parece o Chacrinha
Lelé da caixola
E um velho senhor
Que foi meu professor
No meu tempo de escola
Pingüim, meu amigo
Não zangue comigo
Nem perca a estribeira
Não pergunte porquê
Mas todos põem você
Em cima da geladeira

Poema dos olhos da amada

Vinicius de Moraes - Paulo Soledade

Oh, minha amada
Que os olhos teus

São cais noturnos
Cheios de adeus
São docas mansas
Trilhando luzes
Que brilham longe
Longe nos breus

Oh, minha amada
Que olhos os teus

Quanto mistério
Nos olhos teus
Quantos saveiros
Quantos navios
Quantos naufrágios
Nos olhos teus

Oh, minha amada
Que olhos os teus

Se Deus houvera
Fizera-os Deus
Pois não os fizera
Quem não soubera
Que há muitas eras
Nos olhos teus

Ah, minha amada
De olhos ateus

Cria a esperança
Nos olhos meus
De verem um dia
O olhar mendigo
Da poesia
Nos olhos teus

O relógio

Vinicius de Moraes - Paulo Soledade

Passa, tempo, tic-tac
Tic-tac, passa, hora
Chega logo, tic-tac
Tic-tac, e vai-te embora
Passa, tempo
Bem depressa
Não atrasa
Não demora
Que já estou
Muito cansado
Já perdi
Toda a alegria
De fazer
Meu tic-tac
Dia e noite
Noite e dia
Tic-tac
Tic-tac
Dia e noite
Noite e dia

São Francisco

Vinicius de Moraes - Oswaldo Lacerda
(1ª versão musical)
Vinicius de Moraes - Paulo Soledade
(2ª versão musical)

Lá vai São Francisco
Pelo caminho
De pé descalço
Tão pobrezinho
Dormindo à noite
Junto ao moinho
Bebendo a água
Do ribeirinho

Lá vai São Francisco
De pé no chão
Levando nada
No seu surrão
Dizendo ao vento
Bom dia, amigo
Dizendo ao povo
Saúde, irmão

Lá vai São Francisco
Pelo caminho
Levando ao colo
Jesus Cristinho
Fazendo festa
No menininho
Contando histórias
Pros passarinhos

Canção da noite

Vinicius de Moraes - Paulo Tapajós

Dorme
Que estou a teu lado
Dorme sem cuidado
Nã nã nã nã nã

Dorme
Oh, meu anjo lindo
Vai calma dormindo
Nã nã nã nã nã

Sonha
Com noites de lua
Que minh'alma é tua
Quem vela sou eu!

Dorme
Com riso na boca,
Que a noite é bem pouca
Nã nã nã nã nã

Dorme
E sonha comigo
Com teu doce amigo
Nã nã nã nã nã

Lamento

Vinicius de Moraes - Pixinguinha

Morena
Tem pena
Mas ouve o meu lamento
Tento em vão
Te esquecer
Mas, olhe, o meu tormento é tanto
Que eu vivo em pranto e sou todo
infeliz
Não há coisa mais triste, meu
benzinho
Que esse chorinho que eu te fiz

Sozinha
Morena
Você nem tem mais pena
Ai, meu bem
Fiquei tão só
Tem dó, tem dó de mim
Porque estou triste assim por amor
de você
Não há coisa mais linda neste
mundo
Que meu carinho por você

Mundo melhor

Vinicius de Moraes - Pixinguinha

Você que está me escutando
É mesmo com você que estou
     falando agora
Você que pensa que é bem
Não pensar em ninguém
E que o amor tem hora
Preste atenção, meu ouvinte
O negócio é o seguinte
A coisa não demora
E se você se retrai
Você vai entrar bem, ora se vai

Conto com você, um mais um é
     sempre dois
E depois, mesmo, bom mesmo, é
     amar e cantar junto
Você deve ter muito amor pra
     oferecer
Então pra que não dar o que é
     melhor em você
Venha e me dê sua mão
Porque sou seu irmão na vida e na
     poesia
Deixa a reserva de lado
Eu não estou interessado em sua
     guerra fria
Nós ainda havemos de ver
Uma aurora nascer
Um mundo em harmonia
Onde é que está a sua fé
Com amor é melhor, ora se é

Samba fúnebre

Vinicius de Moraes - Pixinguinha

Triste de quem
Sem ninguém na hora da partida
Mas quando um homem de bem
Morreu por ser um líder
Nasce uma estrela no céu
É mais uma estrela no céu
Porque um homem morreu
Clamando a beleza da vida

Não morre o homem
Sua morte em paz
Se não amou
Se não sofreu
Pelos demais
Descanse em paz
Quem na vida foi um lutador
Descanse em paz
Quem morreu
Por paz e amor

Seule

Vinicius de Moraes - Pixinguinha

Seule
Seule
Seule même dans tes bras
Seule le jour
Seule la nuit
Rêvant toujours
L'amour qui ne vient pas

Chante une chanson pour me bercer
Fais-moi, je t'en prie, tout oublier
Enlace-moi
Embrasse-moi

Prends, mon chéri, tout ce que tu
     veux
O si tu savais me faire sourire
Je pourrais t'aimer jusqu'au delire
Mais, mon amour
O mon amour
Tu n'est pas l'amour rêvé...

Quem és

Vinicius de Moraes - Sergio Endrigo

Quem és tu
Quem és
Serás a sombra que me espera
Ou és a breve primavera
A mariposa que se pousa
E que se vai

Quem és, amor
Que me surgiste como a cor no
                              mundo triste
Ou como o verso imprescindível que
                              revela
E que se vai
Me deixaste provar de uma alegria
Que eu não sabia mais
A súbita poesia de um único verão
Me deixaste saber que ainda existe o
                              som
De uma canção
A paz sem nostalgia
O amor sem solidão

Amor, quem és que penetraste o
                              meu silêncio
Com teus pés tão frágeis
Ah, pudesse eu saber
Um dia finalmente
Quem és

Ária para assovio

Vinicius de Moraes - Sidnei Ferreira

Inelutavelmente tu
Rosa sobre o passeio
Branca! e a melancolia
Na tarde do seio

As cássias escorrem
Seu ouro a teus pés
Conheço o soneto
Porém tu quem és?

O madrigal se escreve:
Se é do teu costume
Deixa que eu te leve

(Sê... mínima e breve
A música do perfume
Não guarda ciúme)

Sempre a esperar

Vinicius de Moraes - Vadico

Meu querido amor
Hoje, logo que cheguei
E encontrei a sua carta
E uma flor
Juro, meu bem
Pelo nosso amor
Eu nunca mais
Poderei amar ninguém

Mas quero só pedir
Me perdoe eu lhe dizer
Meu amor
Você não precisa mais mentir

Pode ir se quiser
Volte quando saudades tiver
Eu estarei aqui
Sempre a lhe esperar
Aqui, meu bem,
Neste lugar
A esperar
Não precisa bater

Eterno retorno

Vinicius de Moraes - Vicente Barreto

Corram em praça pública
Um proclama
Atirem pedra joguem lama
Até me verem transpassar de dor
Gritem que eu traí, que sou culpado
Que sou réu de ter matado
Mais um grande amor

Eu mesmo sangrando
Amor desfeito
Hei de arrancar dentro do peito
As rubras rosas da separação
Com que acarpetar a caminhada
Dessa nova grande amada
Do meu coração

Vai, triste mulher, trágica mulher
Sai do meu caminho
Deixa-me sozinho
Eu já não te quero mais
Deixa-me sofrer em paz
Vejo outra mulher
Surgir da bruma
Enquanto a noite se desfaz

VINICIUS
CONSIGO MESMO

Ai quem me dera

Ai, quem me dera terminasse a
espera
Retornasse o canto simples e sem
fim
E ouvindo o canto se chorasse tanto
Que do mundo o pranto se
estancasse enfim

Ai, quem me dera ver morrer a fera
Ver nascer o anjo, ver brotar a flor
Ai, quem me dera uma manhã feliz
Ai, quem me dera uma estação de
amor

Ah, se as pessoas se tornassem boas
E cantassem loas e tivessem paz
E pelas ruas se abraçassem nuas
E duas a duas fossem ser casais

Ai, quem me dera ao som de
madrigais
Ver todo mundo para sempre afim
E a liberdade nunca ser demais
E não haver mais solidão ruim

Ai, quem me dera ouvir o
nunca-mais
Dizer que a vida vai ser sempre
assim
E, finda a espera, ouvir na primavera
Alguém chamar por mim

Barquinha, barquinha

Barquinha que vai
Barquinha que vem
Na volta, barquinha
Me traz o meu bem:
Meu bem que só vai
Meu bem que não vem
Barquinha, barquinha
Eu estou sem ninguém

Você diz a ela
Barquinha que vai
Que a saudade dela
De mim nunca sai
Você diz a ela
Barquinha que vem
Que moça bonita
Faz mal a ninguém

Barquinha que vai
Barquinha que vem

Canção de nós dois

Tudo quanto na vida eu tiver
Tudo quanto de bom eu fizer
Será de nós dois
Será de nós dois

Uma casa num alto qualquer
Com um jardim e um pomar se
couber
Será de nós dois
Será de nós dois

E depois, quando a gente quiser
Passear, ir pra onde entender
Não importa onde a gente estiver
Estaremos a sós

E depois, quando a gente voltar
O menino que a gente encontrar
Será de nós dois
Será de nós dois

E de noite quando ele dormir
O silêncio do tempo a fugir
Será de nós dois
Será de nós dois

E por fim, quando o tempo fugir
E a saudade nos der de nós dois
E a vontade vier de dormir
Sem ter mais depois

Dormiremos sem medo nenhum
Pois aonde puder dormir um
Podem dormir dois
Podem dormir dois
Podem dormir dois

A casa

Era uma casa
Muito engraçada
Não tinha teto
Não tinha nada
Ninguém podia entrar nela, não
Porque na casa não tinha chão
Ninguém podia dormir na rede
Porque na casa não tinha parede
Ninguém podia fazer pipi
Porque penico não tinha ali
Mas era feita com muito esmero
Na rua dos Bobos
Número zero

Cem por cento

Há muita gente que diz
Coisas dela
Mas essa gente que diz
Cai por ela
Eu que também fui por ela
Sei disso
Eu é que amei
Eu é que sei
Todo despeito que há nisso

Porque pra mim
Ela foi cem por cento
Nunca deixou de me amar
Um só momento
Pode falar quem quiser
Mas no meu fraco entender
Ninguém foi tão mulher

Medo de amar

Vire essa folha do livro e se esqueça
de mim
Finja que o amor acabou e se
esqueça de mim
Você não compreendeu que o ciúme
é um mal de raiz
E que ter medo de amar não faz
ninguém feliz

Agora vá sua vida como você quer
Porém, não se surpreenda se uma
outra mulher
Nascer de mim, como do deserto
uma flor
E compreender que o ciúme é o
perfume do amor

Melancia e coco verde

Melancia é fruta verde e dá botão
Coco verde é fruta dura e cai no
chão

Menina case comigo
Que eu sou bom trabalhador
De dia durmo consigo
De noite morro de amor

Para consigo morar
Eu vou querer a enfeitar
Com os cardumes do céu
Com as estrelas do mar

Menina venha comigo
Consigo eu juro que vou
Me siga para onde eu sigo
Me siga para onde eu for

Para consigo morar
Eu vou querer lhe ofertar
A minha vida no céu
A minha morte no mar

Menina, minha senhora
É hora de se mudar
A vida me faz voltar

Eu na sua companhia
Sigo pr'onde for
Corpo cheio de vontade
Coração em flor
Quero ser minha senhora
Para meu senhor

Coco verde e melancia
Para sempre amor

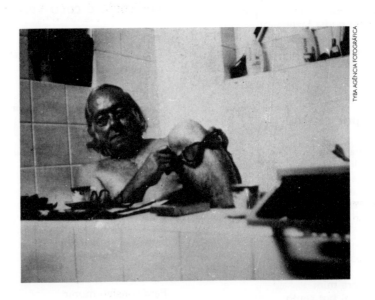

Pela luz dos olhos teus

Quando a luz dos olhos meus
E a luz dos olhos teus
Resolvem se encontrar
Ai, que bom que isso é, meu Deus
Que frio que me dá
O encontro desse olhar

Mas se a luz dos olhos teus
Resiste aos olhos meus
Só pra me provocar
Meu amor, juro por Deus
Me sinto incendiar

Meu amor, juro por Deus
Que a luz dos olhos meus
Já não pode esperar
Quero a luz dos olhos meus
Na luz dos olhos teus
Sem mais lararará

Pela luz dos olhos teus
Eu acho, meu amor
E só se pode achar
Que a luz dos olhos meus
Precisa se casar

Quem for mulher
que me siga

Quem for mulher que me siga
Quem for mulher que me siga
Quem for mulher que me siga
Quem for mulher que me siga

O frevo disse pra marcha
Sem qualquer preliminar
Menina, você não acha que a gente
                    deve juntar
E a marcha virou pro frevo
Com muito enlevo no olhar
E disse: moço, não devo
Só se primeiro casar
E o frevo pro coco pa ra pá
Não fica maluco pa ra pá
Falou que faltava caráter no mundo
Pra não se lembrar

Até que a marchinha pa ra pã
Teve peninha pa ra pã
E logo foi com ele se enturmar laiá
                              laiá

O bom frevinho baiano
E a marchinha carioca
Vão fazer muita fofoca
No melhor dos carnavais
Cantando essa melodia
Que o Vinicius de Moraes
Fez para o bloco do ano
Os internacionais
E o frevo pro coco pa ra pã
Não fica maluco pa ra pã
Falou que faltava caráter no mundo
Pra não se lembrar

Até que a marchinha pa ra pã
Teve peninha pa ra pã
E logo foi com ele se enturmar laiá
                              laiá

Quem for mulher que me siga
Quem for mulher que me siga
Quem for mulher que me siga
Quem for mulher que me siga

Rancho das flores

Entre as prendas com que a natureza
Alegrou este mundo onde há tanta
                                    tristeza
A beleza das flores realça em
                        primeiro lugar
É um milagre
De aroma florido
Mais lindo que toda as graças do céu
E até mesmo do mar

Olhem bem para a rosa
Não há mais formosa
É a flor dos amantes
É a rosa-mulher
Que em perfume e nobreza
Vem antes do cravo
E do lírio e da hortênsia
E da dália e do bom crisântemo
E até mesmo do puro e gentil
                        malmequer

E reparem no cravo
O escravo da rosa
Que flor mais cheirosa
De enfeite sutil
E no lírio que causa o delírio da rosa
O martírio da alma da rosa
Que é a flor mais vaidosa e mais
                                prosa
Entre as flores do nosso Brasil

Abram alas pra dália garbosa
Da cor mais vistosa
Do grande jardim da existência das
                                flores
Tão cheio de cores gentis
E também para a hortênsia inocente
A flor mais contente
No azul do seu corpo macio e feliz

Satisfeita da vida
Vem a margarida
Dos que têm paixão
E agora é a vez
Da papoula vermelha
A que dá tanto mel pras abelhas
E alegra este mundo tão triste
Com a cor que é a do meu coração

E agora aqui temos o bom
                        crisântemo
Seu nome cantemos em verso e em
                                prosa
Porém que não tem a beleza da rosa
Que uma rosa não é só uma flor
Uma rosa é uma rosa é uma rosa
É a mulher rescendendo de amor

Samba de Gesse

Até parece
Que eu conhecia sempre você
Que me aparece
Quando eu não via jeito de ser
A gente esquece
Que a gente muda de bem-querer
Ah, se eu pudesse
Tinha esperado só por você
Quando amanhece
Eu ao meu lado vejo você
Eu digo em prece
Que a vida é linda como você
Eu que era louco
Eu que era triste
Deixei de ser
Até parece
Que só existe eu e você

Samba em serenata

A mesma antiga rua
O mesmo antigo bar
A mesma velha lua
O mesmo velho mar
E eu lembro a imagem tua
Indo embora, acenando
Tristeza que me deu
Saudade que me dá

É sempre a velha história
Que um dia ouvi contar
Alguém que vai embora
Alguém que vai ficar
E a paisagem resta só uma para
                                lembrar
Alguma velha lua
Num mesmo antigo mar

Serenata do adeus

Ai, a lua que no céu surgiu
Não é a mesma que te viu
Nascer dos braços meus
Cai a noite sobre o nosso amor
E agora só restou do amor
Uma palavra: adeus

Ai, vontade de ficar
Mas tendo de ir embora
Ai, que amar é se ir morrendo pela
              vida afora
É refletir na lágrima
Um momento breve
De uma estrela pura, cuja luz
              morreu

Ah, mulher, estrela a refulgir
Parte, mas antes de partir
Rasga o meu coração
Crava as garras no meu peito em
              dor
E esvai em sangue todo amor
Toda a desilusão

Ai, vontade de ficar
Mas tendo de ir embora
Ai, que amar é se ir morrendo pela
              vida afora
É refletir na lágrima
Um momento breve de uma estrela
              pura
Cuja luz morreu
Numa noite escura
Triste como eu

Tomara

Tomara
Que você volte depressa
Que você não se despeça
Nunca mais do meu carinho
E chore, se arrependa
E pense muito
Que é melhor se sofrer junto
Que viver feliz sozinho

Tomara
Que a tristeza te convença
Que a saudade não compensa
E que a ausência não dá paz

E o verdadeiro amor de quem se
              ama
Tece a mesma antiga trama
Que não se desfaz
E a coisa mais divina
Que há no mundo
É viver cada segundo
Como nunca mais

Valsa de Euridíce

(*Eurídice*)

Tantas vezes já partiste
Que chego a desesperar
Chorei tanto, estou tão triste
Que já nem sei mais chorar
Oh, meu amado, não parta
Não parta de mim
Oh, uma partida que não tem fim
Não há nada que conforte
A falta dos olhos teus
Pensa que a saudade
Pode matar-me
Adeus

A Editora Companhia das Letras
agradece a preciosa colaboração de:

Suzana e Luciana de Moraes,
Gilda Mattoso,
Carlos Lyra,
Toquinho,
Tom Jobim,
Marília Medalha,
Baden e Silvia Powell,
Edu Lobo,
Fernando Lobo,
Sérgio Cabral,
Otto Lara Resende,
Rogério Enoé,
Ana Lúcia Castilhos,
Jael Coaracy,
Jairo Severiano,
Miécio Caffé,
Waldemar Marchetti,
Silvana Vian,
Silvia Gandelman,
Ricardo de Carvalho,
Ruy Castro,
José Franceschi.

Tonga Editora Musical,
Editora Musical Balaio,
Editora Musical Arapuã,
Editora de Música Brasileira
   e Internacional (Embi),
Irmãos Vitale,

Aquarela do Brasil,
Cara Nova Editora Musical,
Edições Euterpe,
Musirama Editora Musical,
Editora Mangione,
Ricord Editora,
Três Marias Editora Musical,
Trevo Editora Musical.

Polygram,
Editora Abril,
Odeon,
Som Livre,
Copacabana,
Collector's Editors,
RCA-Espanha,
CBS-Espanha,
Chantecler-Portugal,
RGE.

Fundação Casa de Rui Barbosa
e todas as pesquisadoras
do setor de literatura brasileira
desta Fundação:
Beatriz Folly (chefe),
Rosângela Florido Rangel,
Maria Eduarda Viana Lessa,
Eliane Vasconcellos Leitão
e Tânia Maria Ribeiro.

Copyright das Letras

As abelhas
Acalanto pra embalar Lupicínio
Acende uma lua no céu
Ai quem me dera
Algum lugar
Amigo porteño
Amigos meus
Amor em solidão
Aquarela
O ar (o vento)
A arca de Noé
Ária para assovio
Até rolar pelo chão
Aula de piano
Ausência
O bem-amado
A bênção, Bahia
A Bíblia
Os bichinhos e o homem
Blues para Emmett
Calmaria e vendaval
Canção da canção que nasceu
Canção para o grande amor
Canto e contraponto
Canto de Oxalufã
O canto de Oxum
Caro Raul
Carta que não foi mandada
Carta ao Tom
A casa
Cem por cento
O céu é o meu chão
Chorando pra Pixinguinha
Choro chorado para Paulinho
    Nogueira
Como dizia o poeta
Como é duro trabalhar
As cores de Abril
Corujinha
Cotidiano nº 2
Deixa acontecer
A dor a mais
Essa menina
Estamos aí
A estrela polar
Eu não tenho nada a ver com isso
Felicidade
O filho que eu quero ter
A flor da noite

A toca
Fogo sobre terra
A galinha d'Angola
O gato
Gilda
O girassol
O grande apelo
Je suis une guitarre
Um homem chamado Alfredo
Mais um adeus
Malandro de araque
Maria vai com as outras
Melancia e coco verde
Menina das duas tranças
Menininha
Meu pai Oxalá
Meu tempo
Mr. Toquinho
Morena flor
Moinho d'água
No colo da serra
Nosso amor, nossa cidade
Onde anda você
Paiol de pólvora
Para viver um grande amor
Patota de Ipanema
Pela luz dos olhos teus
Pergunte a você
O pintinho
Planta baixa
Poema ausência
O poeta aprendiz
Por que será
O porquinho
A porta
Um pouco mais de consideração
A pulga
Quem és
Quem for mulher que me siga
Quem ri melhor
Regra três
A rosa desfolhada
Uma rosa em minha mão
Samba para Endrigo
Samba de Gesse
Samba do jato
Samba da rosa
Samba em serenata
Samba da volta

São demais os perigos desta vida
Saudade de amar
Saudades do Brasil em Portugal
Se o amor pudesse
Se o amor quiser voltar
Se ela quisesse
Sei lá... A vida tem sempre razão
Sem mais adeus
Sem medo
Sem razão de ser
Soneto de fidelidade
Tarde em Itapuã
Tatamirô
Tempo de solidão
A terra prometida
Testamento
Tomara
A tonga da mironga do kabuletê
Triste sertão
Tudo na mais santa paz
Tudo o que é meu
Valsa para o ausente
Valsa do bordel
Valsa de Eurídice (Eurídice)
Valsa dos músicos
Veja você
O velho e a flor
A vez do dombe
Xaxado de espantar tristeza
    © by Tonga Editora Musical Ltda.

Golpe errado
    © by Editora Musical Balaio

Além do amor
Amei tanto
Um amor em cada coração
Apelo
O astronauta
Berimbau
Bocochê
Bom dia, amigo
Canção do amor ausente
Canção de enganar tristeza
Canção de ninar meu bem
Canto de Iemanjá
Canto de Ossanha
Canto de Pedra Preta
Canto de Xangô

Cavalo-marinho
Consolação
Deve ser amor
É hoje só
Formosa
Garota Porogondon
História antiga
Labareda
Linda baiana
Mulher carioca
Queixa
Samba do café
Samba da bênção
Samba em prelúdio
Samba do veloso
Seja feliz
Só por amor
Sonho de amor e paz
Tem dó
Tempo feliz
Tristeza e solidão
Valsa sem nome
 © by Tonga Editora
 Musical Ltda. (50%)
 e Baden Powell (50%)

Bom dia, tristeza
Caminho de pedra
Canção do amor demais
Chega de saudade
Deixa
É preciso dizer adeus
Estrada branca
Eu e meu amor
Eu não existo sem você
Eu sei que vou te amar
A felicidade
Frevo de Orfeu
Janelas abertas
Luciana
Marcha de Quarta-feira de Cinzas
Maria da Graça
Medo de amar
Modinha
Mulher, sempre mulher
O nosso amor
Por toda a minha vida (Exaltação
 ao amor)
Pra que chorar
Praia branca (Vida bela)
Rancho das flores
Samba fúnebre
Serenata do adeus
 © by Editora Musical Arapuã
Balanço do Tom
Broto maroto
Broto triste
Canção do amor que chegou
Cartão de visita
Coisa mais linda
Gente do morro
Hino da UNE
Lamento de um homem só
Maria Moita
Minha desventura
Minha namorada
Nada como ter um amor
Parece que ela vai de samba
Pau de arara
Pobre menina rica
Pode ir
Primavera
A primeira namorada
Sabe você
Samba do carioca

Saudade que dá
Também quem mandou
Valsa dueto
Você e eu
 © by Tonga Editora
 Musical Ltda. (50%)
 e Carlos Lyra (50%)

Água de beber
Amor em paz
Andam dizendo
Brasília, sinfonia da Alvorada
Brigas nunca mais
A cachorrinha
Cala, meu amor
Canção em modo menor
Canta, canta mais
Chora coração
Derradeira primavera
Ela é carioca
Garota de Ipanema
O grande amor
Insensatez
Lamento no morro
O morro não tem vez
Na hora do adeus
O que tinha de ser
Pelos caminhos da vida
Sem você
Só danço samba
Soneto de separação
Valsa do amor de nós dois
 © by Tonga Editora
 Musical Ltda. (50%) e
 Antonio Carlos Jobim (50%)

Barquinha, barquinha
Canção de nós dois
 © Editora de Música INDUS Ltda.
 Incorporada em 1990 by Editora de
 Música Brasileira e Internacional
 S/A — Embi
Arrastão
O beijo que você não quis dar
Canção da noite
Canção do amanhecer
Canção para alguém
Canto triste
Lamento
Namorado da lua
Um nome de mulher
O nosso amor de criança
Quando a noite me entende
Quando tu passas por mim
Zambi
 © by Irmãos Vitale S/A e Com.

Em noite de luar
Já era tempo
Mulata no sapateado
Rancho das namoradas
 © by Aquarela do Brasil
 Ltda. e Edições Euterpe Ltda.

Desalento
Gente humilde
Olha, Maria
Samba de Orly
Valsinha
 © by Cara Nova
 Editora Musical Ltda.

Certa Maria
 © by Edições Euterpe Ltda. (50%) e
 Tonga Editora Musical Ltda. (50%)
Poema dos olhos da amada

São Francisco
Se todos fossem iguais a você
 © by Edições Euterpe Ltda.

São Francisco
 © by Tonga Editora Musical
 Ltda. (50%) e Oswaldo Lacerda
 (50%)

Além do tempo
Cara-de-pau
Decididamente
Eu agradeço
João não-tem-de-quê
Labirinto
Lamento de João
Um novo dia
O que é que tem sentido nesta vida
Pobre de mim
Samblues do dinheiro
Só me fez bem
Tá difícil
 © by Tonga Editora Musical
 Ltda. (50%) e Edu Lobo (50%)

Rosa de Hiroshima
 © by Tonga Editora Musical
 Ltda. (50%) e Musirama Editora
 Musical Ltda. (50%)

Dobrado de amor a São Paulo
Doce ilusão
Loura ou morena
Odeon
 © by Editora Mangione

O mais-que-perfeito
 © by Tonga Editora Musical
 Ltda. (50%) e Jards Macalé (50%)

Lembre-se
Menino travesso
Se você disser que sim
Triste de quem
 © by Tonga Editora Musical Ltda.
 (50%) e Moacir Santos (50%)

Ai de quem ama
Se ela chamar eu vou
 © by Tonga Editora Musical
 Ltda. (50%) e Nilo Queiroz
 (50%)

A formiga
O relógio
 © by Tonga Editora Musical Ltda.
 (50%) e Paulo Soledade (50%)

O pato
O peru
O pingüim
 © by Tonga Editora Musical Ltda.
 (66,6%) e Paulo Soledade (33,4%)

Mundo melhor
Seule
 © by Tonga Editora Musical
 Ltda. (50%) e Pixinguinha (50%)

Sempre a esperar
 © by Tonga Editora Musical
 Ltda. (50%) e Vadico (50%)

Eterno retorno
 © by Tonga Editora Musical
 Ltda. (50%) e Vicente Barreto (50%)

ÍNDICE DE LETRAS,
PRIMEIROS VERSOS E PARCEIROS

EDIÇÃO
Cláudio Marcondes
Maria Emília Bender
Marta Garcia

ARTE
Hélio de Almeida
Sérgio Seiei Myashiro
Cesário Fritzen (colaboração)

PRODUÇÃO
José Luís Seuza
Carlos Tomio Kurata
Elisa Braga

PROMOÇÃO E DIVULGAÇÃO
Alice Penna e Costa
Selma Caetano
Beatriz Calderari de Miranda
Demilton Ribeiro
Marina Tronca

SECRETARIA EDITORIAL
Camila Meirelles Junqueira
Fátima Pardini

ESTA OBRA FOI COMPOSTA PELA HEL-
VÉTICA EDITORIAL EM PALÁCIO E IM-
PRESSA PELA GEOGRÁFICA EM OFF-SET
SOBRE PAPEL TOP PRINT DA VOTORAN-
TIM PARA A EDITORA SCHWARCZ EM
JANEIRO DE 1996.